deutsch über

Anneli Billina

Hören & Sprechen B1

Hueber Verlag

5. 4. 3. | Die letzten Ziffern
2019 18 17 16 15 | bezeichnen Zahl und Jahr des Druckes.
Alle Drucke dieser Auflage können, da unverändert, nebeneinander benutzt werden.
1. Auflage

Redaktion: Hans Hillreiner, Hueber Verlag, Ismaning
Umschlaggestaltung: creative partners gmbh, München
Umschlagfotos von links: © Thinkstock/Wavebreak Media; © Thinkstock/Fuse; © Thinkstock/iStockphoto
Zeichnungen: Irmtraud Guhe, München
Layout: appel media, Oberding
Satz: Sieveking · Agentur für Kommunikation, München
Druck und Bindung: Kessler Druck + Medien GmbH & Co. KG, Bobingen
Printed in Germany
ISBN 978-3-19-617493-9 (Package)
62.7493 (Übungsbuch)

Art. 530_11601_001_03

Inhalt

Vorwort

Liebe Lernerinnen, liebe Lerner,

deutsch üben ***Hören & Sprechen B1*** ist ein Übungsheft mit 2 Audio-CDs für fortgeschrittene Anfänger mit Vorkenntnissen auf Niveau A2 zum selbstständigen Üben und Wiederholen. Es eignet sich zur Vorbereitung auf das tägliche Leben in deutschsprachigen Ländern bzw. zur Aufrechterhaltung und Vertiefung vorhandener Sprachkenntnisse.
Mit ***Hören & Sprechen B1*** können Sie Kurspausen überbrücken oder sich auf die Prüfungen der Niveaustufe B1 des *Gemeinsamen Europäischen Referenzrahmens* (*Zertifikat B1, Zertifikat Deutsch*) vorbereiten.

deutsch üben ***Hören & Sprechen B1*** orientiert sich an den gängigen B1-Lehrwerken (z. B. *Schritte*) und trainiert die Fertigkeiten Hören und Sprechen auf dem Niveau B1. Die abwechslungsreichen Hörverständnis- und Sprechübungen behandeln alle für die Bewältigung des Alltags wichtigen Themen und den entsprechenden Wortschatz.

Die Texte und Dialoge sind so authentisch wie möglich gehalten, das heißt, manchmal haben die Sprecher einen leichten landes- oder regionaltypischen Akzent. Zum Nachlesen und zur Erfolgs- und Verständnissicherung sind alle Hörtexte im Buch abgedruckt.

Zu allen Übungen finden Sie eindeutige Lösungen direkt auf den folgenden Seiten bzw. auf den Audio-CDs. Die abgedruckten Texte sind nicht zum Mitlesen gedacht, da ja das Hörverständnis geübt werden soll.

Bitte hören Sie längere Texte und Dialoge mehrmals und benutzen Sie für die Nachsprech- und Schreibübungen die Pause-Funktion Ihres Abspielgerätes. So können Sie die Länge der Pausen nach Ihren Bedürfnissen individuell steuern.

Ein freundlicher Moderator führt Sie mit klaren Übungsanweisungen durch die Audio-CDs. Unterhaltsame Illustrationen fördern Motivation und Lernerfolg.

Viel Spaß und Erfolg!

Autorin und Verlag

1/1

Liebe Lernerinnen, liebe Lerner,

mit *deutsch üben* ***Hören & Sprechen B1*** können Sie Ihr Hörverständnis und Ihre Sprechfertigkeit trainieren.

Viel Spaß!

Fangen wir an!

A. Leben & Liebe

A. Übung 1: Die erste Verabredung

1/2

1 a) Bitte hören Sie und kreuzen Sie an. Was ist richtig?

		richtig
1.	Katrin kommt zu spät, aber Ralf hat noch nicht lange gewartet.	☒
2.	Ralf trinkt ein Bier, aber Katrin möchte lieber ein Glas Rotwein trinken.	☐
3.	Katrin und Ralf haben sich auf der Geburtstagsparty von einem Freund kennengelernt.	☐
4.	Ralf ist bei einem Verlag für Jugendbücher angestellt.	☐
5.	Katrin spricht Englisch, Französisch, Italienisch und Spanisch.	☐
6.	Sie ist Physiotherapeutin von Beruf.	☐
7.	Sie schwimmt und segelt oft, aber geht nicht gern zum Joggen.	☐
8.	Ralf ist sehr flexibel in seinen Arbeitszeiten, weil er selbstständig ist.	☐
9.	Ralf lebt mit seiner jüngeren Schwester zusammen.	☐
10.	Ralf lädt Katrin für den übernächsten Samstag zu sich nach Hause ein.	☐
11.	Ralfs Schwester wird etwas kochen.	☐

1/3

1 b) Hören Sie noch einmal die Ausschnitte aus dem Gespräch und ergänzen Sie die Lücken.

1. Ich musste noch ein bisschen auf Katrin warten, denn sie kam leider nicht *pünktlich.*
2. Sie macht im Sommer und im Winter viel Sport, aber Reiten ist ihr ______________________, obwohl das so __________ ist.
3. Auf der Party hatte ich nicht ganz verstanden, was Ralf ________________ macht. Aber jetzt hat er es mir erzählt: Er ist ________________________ und arbeitet als ____________________.
4. Er hat ein großes Talent für ________________ und spricht Englisch, ______________________, Italienisch und Spanisch.
5. Er wohnt mit seiner __________________ zusammen. Die ist von zu Hause ____________________ und wollte nicht allein in einer ______________ Stadt leben.

1/4

1 c) Jetzt sind Sie dran. Hören Sie und antworten Sie auf die Fragen.

1. Warum kommst du so spät?
   (ganz knapp Trambahn / verpassen)

   Ich habe ganz knapp ____

2. Was machst du beruflich?
   (selbstständig / Übersetzer / verschiedene Verlage)

   ____

3. Was machst du in deiner Freizeit?
   (Reiten Lieblingssport / gern schwimmen, segeln und Ski fahren)

   ____

4. Wohnst du allein?
   (nein / Schwester / WG)

   ____

1/2

1 a) Text

Katrin und Ralf haben sich auf einer Geburtstagsparty bei gemeinsamen Freunden kennengelernt. Sie waren sich sehr sympathisch und haben sich für Samstagabend in einer Kneipe verabredet.
Ralf sitzt schon an einem Tisch, als Katrin mit kleiner Verspätung eintrifft.

Ralf: Katrin, hier! Hey, da bist du ja! Schön, dich zu sehen!

Katrin: Oh, tut mir so leid, Ralf! Ich habe ganz knapp meine Trambahn verpasst! Und die nächste kam erst 10 Minuten später.

Ralf: Ach, kein Problem, ich war auch nicht ganz pünktlich. Jetzt entspann dich erst einmal. Möchtest du auch ein Glas Rotwein?

Katrin: Ja, gerne. Ist deiner gut? Schön trocken?

Ralf: Ja, mir schmeckt er. Da, probier doch mal!

Katrin: Wenn ich darf? Mmh, lecker. Den nehme ich auch.

Ralf: Noch einen Viertelliter von dem Rotwein, bitte!
Super, dass es heute Abend geklappt hat! Letztes Mal hatten wir ja nicht viel Zeit zum Reden.

Katrin: Klar, das war ja auch Werners Geburtstag. Aber jetzt – erzähl mir doch noch mal, was du beruflich machst. Das habe ich auf der Party nicht so richtig verstanden.

Ralf: Ach, das ist nicht so schwierig. Ich bin selbstständig und arbeite als Übersetzer für verschiedene Verlage. Gerade übersetze ich ein Jugendbuch aus dem Englischen.

Katrin: Du sprichst dann sicher fließend Englisch, oder?

Ralf: Ja, sonst wär's schwierig! Aber Sprachen waren schon immer mein Hobby, ich kann auch Französisch, Spanisch und Italienisch. Und du?

Katrin: Oh nein, da bin ich nicht gut. Englisch geht gerade so, aber mein Schulfranzösisch versteht in Frankreich keiner. Meine Leidenschaft ist mehr der Sport!

Ralf: Stimmt, du hast ja erzählt, dass du Physiotherapeutin bist. Was machst du denn am liebsten?

Katrin: Reiten ist mein Lieblingssport. Wenn das nur nicht so teuer wäre! Aber ich fahre auch gern Rad, schwimme und segle gern und gehe oft zum Joggen. Und im Winter natürlich Skifahren und Langlaufen!

Ralf: Wann hast du denn noch Zeit zum Arbeiten?

Katrin: Tja, da habe ich wirklich Glück. Ich arbeite in der Praxis meiner Mutter und bin deshalb ein wenig flexibel in meinen Arbeitszeiten. Aber das ist bei dir doch sicher auch so? Du bist doch selbstständig!

Ralf: Na ja schon, aber ich muss rechtzeitig fertig sein, damit ich wieder neue Aufträge bekomme.

Katrin: Klar, das verstehe ich. Man muss sicherlich sehr diszipliniert sein, wenn man allein zu Hause arbeitet. Du lebst doch allein, oder?

Ralf: Nicht ganz, ich wohne mit meiner kleinen Schwester in einer WG. Sie ist gerade bei meinen Eltern ausgezogen und wollte nicht allein in einer fremden Stadt leben. Ich mag sie sehr – du wirst sie ja bald kennenlernen!

Katrin: Ach, ja?

Ralf: Äh ja, ich meine, wenn du willst! Du könntest mich ja mal besuchen – ich kann wirklich gut kochen!

Katrin: Na, das ist doch ein Angebot! Wie wär's mit Samstag in acht Tagen?

Ralf: (etwas überrascht) O. K., das müsste passen! Was isst du denn gerne? ...

1 a) Lösung, richtig sind:

1. Katrin kommt zu spät, aber Ralf hat noch nicht lange gewartet.
3. Katrin und Ralf haben sich auf der Geburtstagsparty von einem Freund kennengelernt.
6. Sie ist Physiotherapeutin von Beruf.
9. Ralf lebt mit seiner jüngeren Schwester zusammen.
10. Ralf lädt Katrin für den übernächsten Samstag zu sich nach Hause ein.

1/3

1 b) Text und Lösung

1. Ich musste noch ein bisschen auf Katrin warten, denn sie kam leider nicht *pünktlich.*
2. Sie macht im Sommer und im Winter viel Sport, aber Reiten ist ihr *Lieblingssport*, obwohl das so *teuer* ist.
3. Auf der Party hatte ich nicht ganz verstanden, was Ralf *beruflich* macht. Aber jetzt hat er es mir erzählt: Er ist *selbstständig* und arbeitet als *Übersetzer*.
4. Er hat ein großes Talent für *Sprachen* und spricht Englisch, *Französisch*, Italienisch und Spanisch.
5. Er wohnt mit seiner *Schwester* zusammen. Die ist von zu Hause *ausgezogen* und wollte nicht allein in einer *fremden* Stadt leben.

1/4

1 c) Lösung

1. Ich habe ganz knapp meine Trambahn verpasst.
2. Ich bin selbstständig und arbeite als Übersetzer für verschiedene Verlage.
3. Reiten ist mein Lieblingssport. Ich schwimme gern, segle und fahre Ski.
4. Nein, ich wohne mit meiner Schwester in einer WG.

A. Übung 2: **Beziehungsprobleme**

1/5

2 a) Hören Sie und kreuzen Sie die richtige Lösung an.

1.

Martha möchte am Wochenende mit Max zum Skifahren gehen.	☐
Martha hat einen alten Freund und seine Eltern in ihre Hütte eingeladen.	☐
Martha will am Wochenende mit einem alten Freund in die Berge fahren.	☒

2.

Max ist wütend, weil er nicht mitkommen darf.	☐
Max denkt, dass Martha sehr egoistisch ist.	☐
Max ärgert sich, weil Martha nicht auf seine Mountainbike-Tour mitkommt.	☐

3.

Martha hält Max für sehr altmodisch, weil er nicht glaubt, dass sie und ihr alter Studienfreund einfach nur Freunde sein können.	☐
Martha denkt, dass es auf der Hütte sehr romantisch wird.	☐
Martha mag ihre zukünftigen Schwiegereltern gern.	☐

4.
Martha denkt, dass Max ihr ihre Freiheit nimmt. ☐

Martha denkt, dass Max dumm ist. ☐

Max möchte Martha einsperren. ☐

5.
Max möchte mit einer attraktiven Frau auf einer Berghütte sein. ☐

Max findet die Vorstellung nicht gut, dass Martha mit einem anderen Mann ein Wochenende auf einer Berghütte verbringt. ☐

Max hat kein Vertrauen zu Martha. ☐

6.
Max ist enttäuscht, weil Martha ihn nicht vorher gefragt hat. ☐

Max ist enttäuscht, weil Martha die Einladung nicht angenommen hat. ☐

Max ist enttäuscht, weil er nicht mit einer attraktiven Frau auf eine Hütte fahren kann. ☐

7.
Max möchte nichts mehr davon hören und jetzt schlafen gehen. ☐

Max möchte das Gefühl haben, dass er für Martha wichtig ist. ☐

Max hat ein Problem, weil er Martha nicht mehr liebt. ☐

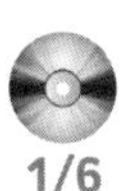
1/6

2 b) Jetzt sind Sie dran. Hören Sie und sprechen Sie nach. Achten Sie auf den emotionalen Ausdruck!

1/5

2 a) Text

Martha und Max sind schon seit zwei Jahren zusammen, aber sie leben nicht zusammen. Nun hat Martha Benjamin, einen guten Freund aus ihrer Studienzeit, wieder getroffen und möchte mit ihm am Wochenende zum Skifahren gehen.

Martha: Du, ich denke, das wird richtig toll. Seine Eltern sind auf ihrer Hütte in den Bergen, und er fährt übers Wochenende zu ihnen. Ich finde das wahnsinnig nett von ihm, dass er mich dazu eingeladen hat!

Max: ...

Martha: Max?

Max: Hmm?

Martha: Was ist denn? Was hast du denn?

Max: Was ich habe? Du erzählst mir so einfach, dass du das Wochenende mit einem anderen Mann und seinen Eltern in den Bergen verbringst und fragst mich dann ganz unschuldig, was ich habe?

Martha: Max, komm, du bist doch wohl nicht etwa eifersüchtig?

Max: Natürlich nicht!

Martha: Aber warum bist du dann so wütend?

Max: Du kommst noch nicht einmal auf die Idee, dass du mich vielleicht fragen könntest, ob es mir recht ist! Du bist einfach das Wochenende nicht da, hast eine schöne Zeit mit einem anderen Mann und ich bin dir ganz egal! So was von Egoismus habe ich ja noch nie erlebt!

Martha: Ach ja, und wenn du deine Mountainbike-Touren planst, hast du mich da jemals gefragt?

Max: Das ist ja was anderes, das mache ich mit meinen Freunden!

Martha: Ich fahre auch mit einem Freund zum Skifahren!

Max: Aber das ist ein Mann!

Martha: Oh Max! Bist du wirklich so altmodisch? Benjamin war während meines ganzen Studiums einfach mein bester Freund! Wir hatten nie etwas miteinander!

Max: Was nicht ist, kann ja noch werden ...

Martha: Jetzt mach aber mal einen Punkt! Schließlich sind seine Eltern ja auch auf der Hütte. Glaubst du im Ernst, da kann sich eine ‚romantische Zweisamkeit' entwickeln, wenn Mama und Papa dabei sind?

Max: Vielleicht wären sie gern deine zukünftigen Schwiegereltern?

Martha: Also, Max, das wird mir jetzt wirklich zu doof. *Wir* beide sind doch zusammen, und bisher hatte ich das Gefühl, dass wir auch sehr glücklich miteinander sind! Doch wenn du jetzt anfängst, mich so einzusperren ...

Max: Ich sperre dich ein? Nur weil ich nicht glücklich bin, dass du statt mit mir ein Wochenende mit einem anderen Mann verbringst? Wie würdest du das denn finden? Stell dir mal vor, ich und eine attraktive Frau auf einer wunderschönen Berghütte, wo es nur einen Raum zum Schlafen gibt und ...

Martha: ... und ihre Eltern danebenliegen und schnarchen! Aber ich muss schon zugeben, so ganz toll würde ich das auch nicht finden. Du musst mir halt vertrauen ...

Max: Das tue ich ja, Martha. Aber dass du nicht vorher mit mir darüber redest und es mit mir besprichst, ob du die Einladung annehmen sollst oder nicht – das hat mich echt enttäuscht.

Martha: Ja, das kann ich schon verstehen. Aber hättest du denn dann anders reagiert? Das wäre doch auch keine andere Situation!

Max: Ja, aber ich hätte das Gefühl, dass du an mich denkst und ich dir wichtig bin. Vielleicht sollten wir noch eine Nacht darüber schlafen und morgen noch einmal darüber reden, in aller Ruhe.

Martha: Gut, Max. Du ...

Max: Hm?

Martha: Ich liebe dich doch!

Max: Ich dich doch auch. Das ist ja das Problem!

2 a) Lösung

1. Martha will am Wochenende mit einem alten Freund in die Berge fahren.
2. Max denkt, dass Martha sehr egoistisch ist.
3. Martha hält Max für sehr altmodisch, weil er nicht glaubt, dass sie und ihr alter Studienfreund einfach nur Freunde sein können.
4. Martha denkt, dass Max ihr ihre Freiheit nimmt.
5. Max findet die Vorstellung nicht gut, dass Martha mit einem anderen Mann ein Wochenende auf einer Berghütte verbringt.
6. Max ist enttäuscht, weil Martha ihn nicht vorher gefragt hat.
7. Max möchte das Gefühl haben, dass er für Martha wichtig ist.

1/6

2 b) Text

1. Was hast du denn?
2. Du bist doch wohl nicht etwa eifersüchtig!
3. Warum bist du denn so wütend?
4. Du kommst noch nicht einmal auf die Idee, dass du mich vielleicht fragen könntest, ob es mir recht ist!
5. So etwas habe ich ja noch nie erlebt!
6. Jetzt mach aber mal einen Punkt!
7. Also, das wird mir jetzt wirklich zu dumm.
8. Wie würdest du das denn finden?
9. Ich muss zugeben, das wäre wirklich nicht so toll.
10. Das hat mich echt enttäuscht.
11. Vielleicht sollten wir eine Nacht darüber schlafen und morgen noch einmal darüber reden.

A. Übung 3: Guter Rat ist nicht teuer

1/7

3 a) Hören Sie und ergänzen Sie die Lücken im Text.

Ulrich hat von seiner Firma ein gutes Angebot bekommen. Er kann Abteilungsleiter werden, muss aber in einer anderen Stadt arbeiten. Seine Frau Gabi möchte nicht ________________, weil sie gerade ein Haus gekauft haben und Lilli, ihre Tochter, in die Schule gekommen ist. Außerdem hat Gabi eine gute ____________________ in einer Apotheke. Ulrich weiß nicht, was er tun soll, und trifft sich mit seiner Schwester in einem Café, um vielleicht von ihr einen guten Rat zu ______________.

Ulrich: Hallo Schwesterchen! Schön, dass du dir Zeit für mich ______________ hast.

Ella: Ist doch klar, Uli! Da komme ich doch gleich, wenn mein kleiner Bruder ein Problem hat! Trinkst du auch einen Cappuccino?

Ulrich: Ja, einen großen!

Ella: *(zur Kellnerin)* Zwei große Cappuccini, bitte! *(zu Ulrich)* So, und jetzt noch mal von vorne, vorhin am Telefon habe ich nicht alles ganz richtig verstanden. ________ __________ genau?

Ulrich: Also, mein Chef hat mir letzten Freitag angeboten, die neue Abteilung in Frankfurt als Leiter zu __________________. Das wäre genial für meinen __________________, auch die Aufgabe wäre eine wirklich interessante __________________________. Und es wird gut bezahlt!

Ella: Super! Gratulation!

Ulrich: *(lacht geschmeichelt)* Danke! Ich habe mich auch wirklich gefreut. *(sorgenvoll)* Aber Gabi möchte _____ __________ _______ umziehen. Sie liebt ihre Arbeit in der Apotheke, und Lilli ist doch auch gerade erst ____ ____ __________ ______________.

Ella: Das heißt, dass du dir unter der Woche ein Zimmer in Frankfurt __________ müsstest.

Ulrich: Genau. Die einfache ______________ von 200 km jeden Tag zu machen, ist unmöglich, das geht __________ zeitlich ________ finanziell.

Ella: Könntest du denn nicht auch ______ ____ __________ ______ arbeiten?

Ulrich: Das hatte ich auch schon _ ____________________. Mein Chef war von der Idee nicht begeistert, aber er meinte, den Freitag müsste ich nicht unbedingt im Büro verbringen, wenn nicht gerade wichtige ________________________ stattfinden.

Ella: Aber das wäre doch eine gute ____________! Dann bist du immerhin von Donnerstagabend bis Sonntagabend zu Hause!

Ulrich: *(unsicher)* Naja, schon, aber ich bekomme nichts mehr vom _________________________ mit. Und Gabi müsste alles allein machen.

Ella: Aber __________ ______, wenn du _______ ____ ______ hast, gehst du morgens um halb acht aus dem Haus und kommst auch nicht vor acht Uhr abends nach Hause. Und Lilli muss um die Zeit ins Bett – mehr als ein ________ ____________________ ist da nicht drin! *(leicht ironisch)* Und ich glaube auch nicht, dass du dann noch den Rasen mähst oder den Wasserhahn im Bad reparierst!

Ulrich: *(zögernd)* Naja, natürlich nicht. Das macht eigentlich Gabi sowieso alles allein ...

Ella: Siehst du? Und wenn du dich mal länger mit Lilli über Skype ____________________, ist das vielleicht mehr wert als ein müdes „Gute Nacht, mein Schatz!"

Ulrich: Aber die ___________! Ich _______________ eine ganze Menge _______________ und müsste die Miete für ein Zimmer in Frankfurt zahlen!

Ella: Tja, das müsstest du natürlich genau durchrechnen, ob es _________ _________. Aber denkst du nicht, dass du auch einen ________________ von der Firma bekommen könntest, wenn du ihnen die Situation erklärst? Sie wollen dich doch gern auf der Position haben!

Ulrich: Hm, ja, das könnte ich versuchen. Aber wirklich glücklich bin ich bei dem Gedanken nicht ...

Ella: Ach, Uli, du solltest es einfach mal ______________________. Schau dir das Ganze mal ein Jahr lang an. Dann könnt ihr sehen, was es für ______________ oder __________________ hat und wie ihr damit zurechtgekommen seid. Und wer weiß, vielleicht ______________________ ihr euch dann wirklich umzuziehen, oder vielleicht gibt es eine Möglichkeit für dich, wieder hier einen Job zu finden. Aber du bist um eine interessante __________________ reicher!

Ulrich: Und mein ____________________ auch ... Ach, ich glaube, Ella, du hast recht. Ich muss ja nicht mein ganzes Leben in dieser Situation verbringen. Manchmal hat man einfach __________ vor etwas Neuem!

Ella: Das denke ich auch. Zahlen wir?

Ulrich: Ja, aber das übernehme ich! Für so einen guten ______ sind zwei Cappuccino wirklich nicht zu viel ... *(lacht)*

Ella: *(lacht auch)* Oh, wie großzügig, Bruderherz!

1/8

3 b) Jetzt sind Sie dran. Hören Sie und wiederholen Sie, aber benutzen Sie nicht den Imperativ, sondern geben Sie einen Ratschlag: *Du solltest / Sie sollten / Ihr solltet ...*

1/7

3 a) Text und Lösung

Ulrich hat von seiner Firma ein gutes *Angebot* bekommen. Er kann Abteilungsleiter werden, muss aber in einer anderen Stadt arbeiten. Seine Frau Gabi möchte nicht *umziehen*, weil sie gerade ein Haus gekauft haben und Lilli, ihre Tochter, in die Schule gekommen ist. Außerdem hat Gabi eine gute *Teilzeitstelle* in einer Apotheke. Ulrich weiß nicht, was er tun soll, und trifft sich mit seiner Schwester in einem Café, um vielleicht von ihr einen guten Rat zu *bekommen*.

Ulrich: Hallo Schwesterchen! Schön, dass du dir Zeit für mich *genommen* hast.

Ella: Ist doch klar, Uli! Da komme ich doch gleich, wenn mein kleiner Bruder ein Problem hat! Trinkst du auch einen Cappuccino?

Ulrich: Ja, einen großen!

Ella: Zwei große Cappuccino, bitte! So, und jetzt noch mal von vorne, vorhin am Telefon habe ich nicht alles ganz richtig verstanden. *Worum geht's* genau?

Ulrich: Also, mein Chef hat mir letzten Freitag angeboten, die neue Abteilung in Frankfurt als Leiter zu *übernehmen*. Das wäre genial für meinen *Lebenslauf*, auch die Aufgabe wäre eine wirklich interessante *Herausforderung*. Und es wird gut bezahlt!

Ella: Super! Gratulation!

Ulrich: Danke! Ich habe mich auch wirklich gefreut. Aber Gabi möchte *auf keinen Fall* umziehen. Sie liebt ihre Arbeit in der Apotheke, und Lilli ist doch auch gerade erst *in die Schule gekommen*.

Ella: Das heißt, dass du dir unter der Woche ein Zimmer in Frankfurt *mieten* müsstest.

Ulrich: Genau. Die einfache *Strecke* von 200 km jeden Tag zu machen ist unmöglich, das geht *weder* zeitlich *noch* finanziell.

Ella: Könntest du denn nicht auch *von zu Hause aus* arbeiten?

Ulrich: Das hatte ich auch schon *vorgeschlagen*. Mein Chef war von der Idee nicht begeistert, aber er meinte, den Freitag müsste ich nicht unbedingt im Büro verbringen, wenn nicht gerade wichtige *Besprechungen* stattfinden.

Ella: Aber das wäre doch eine gute *Lösung*! Dann bist du immerhin von Donnerstagabend bis Sonntagabend zu Hause!

Ulrich: Naja, schon, aber ich bekomme nichts mehr vom *Familienleben* mit. Und Gabi müsste alles alleine machen.

Ella: Aber *schau mal*, wenn du viel zu tun hast, gehst du morgens um halb acht aus dem Haus und kommst auch nicht vor acht Uhr abends nach Hause. Und Lilli muss um die Zeit ins Bett – mehr als ein *Gute-Nacht-Kuss* ist da nicht drin! Und ich glaube auch nicht, dass du dann noch den Rasen mähst oder den Wasserhahn im Bad reparierst!

Ulrich: Naja, natürlich nicht. Das macht eigentlich Gabi sowieso alles allein ...

Ella: Siehst du? Und wenn du dich mal länger mit Lilli über Skype *unterhältst*, ist das vielleicht mehr wert als ein müdes „Gute Nacht, mein Schatz!"

Ulrich: Aber die *Kosten*! Ich ***bräuchte*** eine ganze Menge *Fahrgeld* und müsste die Miete für ein Zimmer in Frankfurt zahlen!

Ella: Tja, das müsstest du natürlich genau durchrechnen, ob es *sich lohnt*. Aber denkst du nicht, dass du auch einen *Zuschuss* von der Firma bekommen könntest, wenn du ihnen die Situation erklärst? Sie wollen dich doch gern auf der Position haben!

Ulrich: Hm, ja, das könnte ich versuchen. Aber wirklich glücklich bin ich bei dem Gedanken nicht ...

Ella: Ach, Uli, du solltest es einfach mal *ausprobieren*. Schau dir das Ganze mal ein Jahr lang an. Dann könnt ihr sehen, was es für *Vorteile* oder *Nachteile* hat und wie ihr damit zurechtgekommen seid. Und wer weiß, vielleicht *entscheidet* ihr euch dann wirklich umzuziehen, oder vielleicht gibt es eine Möglichkeit für dich, wieder hier einen Job zu finden. Aber du bist um eine interessante *Erfahrung* reicher!

Ulrich: Und mein *Lebenslauf* auch ... Ach, ich glaube, Ella, du hast recht. Ich muss ja nicht mein ganzes Leben in dieser Situation verbringen. Manchmal hat man einfach *Angst* vor etwas Neuem!

Ella: Das denke ich auch. Zahlen wir?

Ulrich: Ja, aber das übernehme ich! Für so einen guten *Rat* sind zwei Cappuccino wirklich nicht zu viel ...

Ella: Oh, wie großzügig, Bruderherz!

1/8

3 b) Lösung

Zieht jetzt nicht um.

Ihr solltet jetzt nicht umziehen.

Gib deine Teilzeitstelle in der Apotheke nicht auf.

Du solltest deine Teilzeitstelle in der Apotheke nicht aufgeben.

Nimm dir Zeit für deinen Bruder.

Du solltest dir Zeit für deinen Bruder nehmen.

Erklären Sie mir genau, worum es geht.

Sie sollten mir genau erklären, worum es geht.

Übernehmen Sie die Stelle als Abteilungsleiter in Frankfurt.

Sie sollten die Stelle als Abteilungsleiter in Frankfurt übernehmen.

Arbeiten Sie von zu Hause aus.

Sie sollten von zu Hause aus arbeiten.

Unterhalte dich mit deiner Tochter über Skype.

Du solltest dich mit deiner Tochter über Skype unterhalten.

Rechne dir genau durch, ob es sich lohnt.

Du solltest dir genau durchrechnen, ob es sich lohnt.

Probier es einfach mal aus.

Du solltest es einfach mal ausprobieren.

Entscheidet euch, ob ihr umziehen wollt.

Ihr solltet euch entscheiden, ob ihr umziehen wollt.

Hab keine Angst vor etwas Neuem.

Du solltest keine Angst vor etwas Neuem haben.

Gib mir einen guten Rat.

Du solltest mir einen guten Rat geben.

A. Übung 4: Ein erfülltes Leben

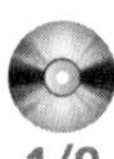

1/9

**4 a) Hören Sie die Radiosendung einmal.
Dann hören Sie noch einmal und kreuzen Sie an: Was ist richtig?**

1. Henschle war vor 80 Jahren ein großartiger Pianist. ☐

   Henschle wird heute 80 Jahre und ist einer der besten Pianisten unserer Zeit. ☒

2. Heute spielen Musikerkollegen in der Philharmonie, um Henschle ein Geburtstagsgeschenk zu machen. ☐

   Heute spielt Henschle für seine Kollegen und Freunde ein Konzert in der Philharmonie. ☐

3. Henschle macht den Eindruck, als wäre er viel jünger als 80 Jahre. ☐

   Henschle hat viele fröhliche und jugendliche Freunde. ☐

4. Seine Eltern passten auf, dass er jeden Tag vier Stunden übte. ☐

   Er lernte mit vier Jahren Klavier spielen. ☐

5. Sein erstes Konzert gab Henschle mit 12 Jahren. ☐

   Mit 12 Jahren besuchte Henschle sein erstes Konzert in seiner Heimatstadt. ☐

6. Henschles Vater starb im Zweiten Weltkrieg und er musste arbeiten, damit die Familie genug zu essen hatte. ☐

   Henschles Vater überlebte den Zweiten Weltkrieg, aber er machte sich Sorgen um seinen ältesten Sohn. ☐

7. Die Familie konnte in einem Klaviergeschäft arbeiten. ☐

   Die Familie wohnte bei einem Klaviergeschäft, deshalb konnte Henschle weiter üben. ☐

8. Am Konservatorium lernte er seine Frau kennen und ging mit ihr nach Berlin. ☐

   In Berlin studierte er am Konservatorium und lernte seine Frau kennen. ☐

9. Als Henschles Sohn vier Jahre alt war, ließ sich seine Frau scheiden. ☐

   1956 wollte Gisa sich von ihrem Mann scheiden lassen. ☐

10. Nach der Scheidung spielte Henschle keine modernen Komponisten mehr, weil er die Musik zu dramatisch fand. ☐

    Nach der Scheidung war Henschle traurig und sein Klavierspiel wurde anders. ☐

11. Henschle gab Konzerte in der ganzen Welt und lebte mit seiner zweiten Frau in New York. ☐

    Henschle hatte ein ruhiges Leben, bis er eine Amerikanerin kennenlernte und heiratete. ☐

12. Als Henschle älter wurde, wollte er wieder in Deutschland leben. ☐

    Henschle wollte nie mehr nach Deutschland zurückkehren und ist heute Abend nur bei seinen Kollegen und Freunden zu Besuch. ☐

1/10

4 b) Jetzt sind Sie dran. Hören Sie die Fragen und antworten Sie mit Hilfe der Lösungen aus 4a).

1/9

4 a) Text

Moderatorin:

Liebe Hörerinnen und Hörer, heute vor 80 Jahren wurde Alfred Henschle geboren, einer der größten Pianisten unserer Zeit. Die Musik war und ist sein Leben, was also liegt näher, als ihm ein großartiges Musikgeschenk zu machen? Gute Freunde von Henschle, alles berühmte Namen aus der klassischen Musikszene, treffen sich heute Abend in der Philharmonie von Kurstadt, um für ihren verehrten und geliebten Kollegen zu musizieren. Genießen Sie dieses einzigartige Erlebnis! Durch die Sendung führt Sie unser Moderator Heinz Hiblinger.

Hiblinger:

Sehr verehrte Damen und Herren, ich begrüße Sie hier vor der wunderschönen Philharmonie von Kurstadt. Nach einem feierlichen Festakt gibt es gerade eine kurze Pause, bevor in wenigen Minuten der Höhepunkt dieses außergewöhnlichen Abends stattfinden wird. Unser Jubilar war sichtlich überrascht, so viele seiner Musikerfreunde begrüßen zu dürfen. Er wirkt fröhlich und jugendlich, so gar nicht wie ein alter Herr, obwohl doch ein langes und erfülltes Leben hinter ihm liegt. Lassen Sie mich die Zeit nutzen, um Sie an die wichtigsten Stationen dieser fantastischen Karriere zu erinnern.

Geboren in Lindau am Bodensee lernte Henschle ab seinem 4. Lebensjahr Klavier. Seine Eltern wurden schon bald auf das außergewöhnliche Talent ihres Sohnes aufmerksam. Schon im Alter von zwölf Jahren feierte er seinen ersten Erfolg bei einem Konzert in seiner Heimatstadt.

Während des Zweiten Weltkriegs verlor er seinen Vater und musste als ältester Sohn helfen, für das Überleben der Familie zu sorgen. Kurz vor dem Ende des Kriegs wurde das Elternhaus bei einem Bombenangriff zerstört. Doch Henschle hatte Glück im Unglück: Die Familie wurde von einem Freund aufgenommen, der ein Klaviergeschäft hatte, und somit konnte Henschle seine Arbeit am Klavier auch in diesen schweren Zeiten fortsetzen. Problemlos bestand er die Aufnahmeprüfung fürs Konservatorium, wo er seine erste Frau, die berühmte Cellistin Gisa Gilbert, kennenlernte. Das Ehepaar zog nach dem Studium nach Berlin und war das erfolgreichste Duo seiner Zeit. 1956 wurde ihr Sohn geboren, doch bereits vier Jahre später wollte Gisa die Scheidung.

In dieser Phase der Trauer veränderte sich auch Henschles Klavierspiel. Es wurde dunkler und dramatischer und er entdeckte mehr die Komponisten der Moderne für sich. Damals war Henschle auf Konzerttourneen in der ganzen Welt unterwegs. Erst als er die Amerikanerin Whitney Falks kennenlernte und bald darauf auch heiratete, wurde sein Leben wieder etwas ruhiger. Mit Whitney wohnte er einige Jahre in New York, wo er eine Professur an der Musikhochschule bekam.

Erst im Alter kehrte Henschle in seine Heimat Deutschland zurück. Und heute Abend sind wir glücklich, ihn bei bester Gesundheit im Kreise seiner Freunde und Kollegen sehen zu können.

Jetzt freuen Sie sich mit mir auf die Liveübertragung des Konzerts, das soeben beginnt.

4 a) Lösung

1. Henschle wird heute 80 Jahre und ist einer der besten Pianisten unserer Zeit.
2. Heute spielen Musikerkollegen in der Philharmonie, um Henschle ein Geburtstagsgeschenk zu machen.
3. Henschle macht den Eindruck, als wäre er viel jünger als 80 Jahre.
4. Er lernte mit vier Jahren Klavier spielen.
5. Sein erstes Konzert gab Henschle mit 12 Jahren.
6. Henschles Vater starb im Zweiten Weltkrieg und er musste arbeiten, damit die Familie genug zu essen hatte.
7. Die Familie wohnte bei einem Klaviergeschäft, deshalb konnte Henschle weiter üben.
8. Am Konservatorium lernte er seine Frau kennen und ging mit ihr nach Berlin.
9. Als Henschles Sohn vier Jahre alt war, ließ sich seine Frau scheiden.
10. Nach der Scheidung war Henschle traurig und sein Klavierspiel wurde anders.
11. Henschle gab Konzerte in der ganzen Welt und lebte mit seiner zweiten Frau in New York.
12. Als Henschle älter wurde, wollte er wieder in Deutschland leben.

1/10

4 b) Text und Lösung

1. Wie alt wird Henschle heute? *Er wird 80 Jahre alt.*
2. Was ist das Geburtstagsgeschenk von Henschles Kollegen? *Sie spielen für ihn ein Konzert in der Philharmonie.*
3. Was für einen Eindruck macht Henschles Gesundheit? *Er macht den Eindruck, als wäre er viel jünger als 80 Jahre.*
4. Wann lernte er Klavier spielen und wann gab er sein erstes Konzert? *Mit vier Jahren lernte er Klavier spielen und mit zwölf gab er sein erstes Konzert.*
5. Was passierte im Zweiten Weltkrieg? *Henschles Vater starb und er musste arbeiten, damit die Familie genug zu essen hatte.*
6. Wie war es möglich, dass Henschle weiter Klavier üben konnte? *Die Familie wohnte bei dem Inhaber eines Klaviergeschäfts.*
7. Wo lernte er seine Frau kennen und wo lebten die beiden dann? *Er lernte sie am Konservatorium kennen und sie lebten dann in Berlin.*
8. Wann war die Scheidung von Henschles erster Frau? *Als ihr Sohn vier Jahre alt war.*
9. Warum veränderte sich sein Klavierspiel in dieser Zeit? *Weil er traurig war.*
10. Wo gab Henschle hauptsächlich Konzerte und wo lebte er mit seiner zweiten Frau? *Er gab Konzerte in der ganzen Welt und lebte mit seiner zweiten Frau in New York.*
11. Wo wollte Henschle im Alter leben? *Er wollte wieder in Deutschland leben.*

B. Haus & Heim

B. Übung 1: Konzerte contra Kompost

1/11

1 a) Karla und Kurt müssen aus ihrer alten Wohnung ausziehen. Nun stellt sich die Frage, ob sie in der Stadt bleiben oder aufs Land ziehen sollen. Hören Sie den Dialog und ergänzen Sie die Tabelle mit den Argumenten der beiden.

Leben …	pro	contra
… in der Stadt	– *Theater, Konzert, Kino* ______ – ______ ______ – ______ ______ – ______ ______	– ______ – ______ – ______ ______
… auf dem Land	– ______ ______ – ______ – ______ ______ ______	– ______ – ______ ______ – ______ ______ ______

Leben ...	pro	contra
... auf dem Land	– ______ – ______ ______ ______ – ______	– ______ ______ ______ – ______ ______ ______

1/12

1 b) Verbinden Sie die passenden Satzteile und sprechen Sie nach.

1. In der Stadt gibt es viele kulturelle Angebote,
2. In der Stadt gibt es gute Einkaufsmöglichkeiten in der Umgebung,
3. In der Stadt ist der Weg zur Arbeit kurz,
4. Auf dem Land sind die Häuser meist preiswert,
5. Auf dem Land kann man sich im eigenen Garten erholen,
6. Auf dem Land ist es ruhig,
7. Auf dem Land kann man seinen eigenen Gemüsegarten haben,

a) vom Land aus dauert die Fahrt zur Arbeit lang und kostet viel.
b) in der Stadt ist es oft laut.
c) in der Stadt gibt es Parks, aber da sind überall viele Menschen.
d) aber der macht auch viel Arbeit!
e) auf dem Land ist kein Theater oder Kino in der Nähe.
f) in der Stadt zahlt man hohe Mieten.
g) auf dem Land hat man meist weite Wege.

1/11

1 a) Text

Karla: Willst du denn dein ganzes Leben in Städten verbringen? Du musst doch auch mal eine andere Erfahrung machen!

Kurt: Bitte, Karla, was soll ich denn auf dem Land? Alle Wege sind weit, ob du ins Kino gehen oder vielleicht mal ein Theater oder Konzert besuchen willst! Und wann würden wir dann noch unsere Freunde sehen und mit ihnen ausgehen?

Karla: Das ist doch kein Argument. Wann gehen wir denn schon abends weg? Dazu sind wir doch immer viel zu müde!

Kurt: Aber wir könnten, wenn wir wollten!

Karla: Ja, aber was meinst du, wie erholsam es wäre, abends einfach bei einem Glas Wein in unserem Garten zu sitzen, oder noch einen Spaziergang zu machen. Wir könnten einen Hund haben und eine Katze und …

Kurt: Meine Liebe, vergiss bitte nicht, dass ich eine Tierhaarallergie habe.

Karla: Ja, ja, ist schon gut … Also kein Hund. Vielleicht Hühner!

Kurt: Was hast du denn? Hier gibt es schließlich auch Parks zum Spazierengehen!

Karla: Ja, mit Unmengen von anderen Leuten! Wo du auch bist, nie bist du allein!

Kurt: Möglicherweise fühlst du dich auf dem Land sehr schnell zu allein …

Karla: Und dann die Ruhe! Hier hat man nachts das Gefühl, als würde einem die Straßenbahn über die Bettdecke fahren! Und so ein Häuschen auf dem Land, wo du nur den Wind in den Bäumen rauschen hörst …

Kurt: Karla, du hast vielleicht romantische Vorstellungen! Den Wind hörst du heute nur noch mitten im Wald in den Bäumen rauschen. Und, bei aller Liebe, ich ziehe nicht mit dir mitten in den Wald! Ein bisschen Zivilisation hätte ich schon gerne!

Karla: Das will ich ja auch. Und es sollten natürlich ein paar Geschäfte in der Nähe sein. Aber ich würde auch gern selbst Gemüse im Garten anbauen! Und unseren Biomüll könnte ich auf einen Komposthaufen werfen, und daraus wird dann wieder Erde, und …

Kurt: Hast du eigentlich eine Ahnung, wie viel Zeit so ein Garten braucht?

Karla: Klar! Und davon träume ich seit Jahren!

Kurt: Und was machst du, wenn wir in Urlaub fahren? Deine Pflanzen vertrocknen lassen?

Karla: Da gibt es doch bestimmt nette Nachbarn, die in dieser Zeit den Garten gießen, mach dir da mal keine Sorgen.

Kurt: Schau doch, jetzt sind wir in einer Viertelstunde im Büro. Wenn wir rausziehen aufs Land, brauchen wir mindestens eine Stunde! Und es kostet, entweder Benzin oder ein Zugticket.

Karla: Aber dafür zahlen wir viel weniger Miete. Und wenn wir unsere Freunde sehen wollen, laden wir sie einfach übers Wochenende zu uns ein. Das ist dann wie ein Kurzurlaub für sie.

Kurt: Und all die Einkaufsmöglichkeiten hier? Du bist doch diejenige, die so gern shoppen geht!

Karla: Da siehst du mal, wie sparsam wir leben werden! Keine tolle Boutique mehr, die mich zum Einkaufen verführt! Dann bin ich halt leider nicht mehr so schick gekleidet …

Kurt: Oh, ich seh' dich schon nur noch in Jeans und alten Pullis rumlaufen, mit Erde unter den Fingernägeln …

Karla: Na ja, du wirst ja auch nicht in Anzug und Krawatte den Rasen mähen!

Kurt: Ich werde gar nicht den Rasen mähen! Und wenn du glaubst …

1 a) Lösung

Leben …	pro	contra
… in der Stadt	– *Theater, Konzert, Kino* – *Freunde in der Nähe* – *Einkaufsmöglichkeiten* – *kurzer Weg zur Arbeit*	– *laut* – *hohe Mietpreise* – *überall viele Menschen*
… auf dem Land	– *Erholung im Garten* – *Spaziergänge* – *Hund oder Katze halten* – *Ruhe* – *Gemüsegarten, eigener Kompost* – *weniger Miete*	– *weite Wege* – *kein Theater, Konzert, Kino* – *Gartenarbeit braucht viel Zeit* – *Problem mit Garten in der Urlaubszeit* – *lange Fahrtzeit zur Arbeit und hohe Kosten*

1/12

1 b) Text und Lösung

1. In der Stadt gibt es viele kulturelle Angebote, auf dem Land ist kein Theater oder Kino in der Nähe.
2. In der Stadt gibt es gute Einkaufsmöglichkeiten in der Umgebung, auf dem Land hat man meist weite Wege.
3. In der Stadt ist der Weg zur Arbeit kurz, vom Land aus dauert die Fahrt zur Arbeit lang und kostet viel.
4. Auf dem Land sind die Häuser meist preiswert, in der Stadt zahlt man hohe Mieten.
5. Auf dem Land kann man sich im eigenen Garten erholen, in der Stadt gibt es Parks, aber da sind überall viele Menschen.
6. Auf dem Land ist es ruhig, in der Stadt ist es oft laut.
7. Auf dem Land kann man seinen eigenen Gemüsegarten haben, aber der macht auch viel Arbeit!

B. Übung 2: Nervige Nachbarn

1/13

2 a) Sebastian lebt in einem Mehrfamilienhaus im dritten Stock. Seine Nachbarin, Frau Schmitz, beschwert sich oft, wenn er Musik hört oder Gäste hat. Gestern hatte er Geburtstag und ein paar Freunde waren bei ihm zu Besuch. Gerade wollte er das Haus verlassen, als er Frau Schmitz im Treppenhaus trifft. Hören Sie und kreuzen Sie an: Was ist richtig?

1.

Frau Schmitz beschwert sich darüber, dass sich die Polizei mitten in der Nacht so laut unterhalten hat. ☐

Frau Schmitz hat die Polizei gerufen, aber die hat schon geschlafen. ☐

Frau Schmitz schimpft, weil es in Sebastians Wohnung in der Nacht so laut war, dass sie nicht schlafen konnte. ☒

2.

Sebastian hatte gestern Geburtstag und hat viele Freunde eingeladen. ☐

Ein paar Freunde waren gestern bei Sebastian zum Essen, weil er Geburtstag hatte. ☐

Ein Freund hatte gestern Geburtstag, deshalb hat Sebastian ihn zum Essen eingeladen. ☐

3.

Frau Schmitz hat genau gehört, wie Sebastians Freunde die Treppe hochgegangen sind und geklingelt haben. ☐

Frau Schmitz ist ins Treppenhaus gegangen und hat gegen die Tür geschlagen, aber keiner hat das gehört. ☐

Sebastians Freunde sind oft die Treppe rauf- und runtergegangen. ☐

4.
Frau Schmitz meint, Sebastian soll sich ruhig verhalten, weil er nicht der Besitzer der Wohnung ist. ☐

Frau Schmitz kann Sebastian verbieten, dass er in seiner Wohnung Besuch bekommt. ☐

Sebastian bezahlt Frau Schmitz jeden Monat viel Geld für eine gute Nachbarschaft. ☐

5.
Sebastian möchte sich mit einem Rechtsanwalt unterhalten. ☐

Frau Schmitz will Sebastians Vermieter schreiben, damit der Sebastian die Wohnung kündigt. ☐

Sebastian überzeugt Frau Schmitz, dass sie in guter Nachbarschaft leben müssen. ☐

6.
Sebastian will, dass Frau Schmitz toleranter ist und ihn in Ruhe lässt. ☐

Sebastian will in Zukunft ruhiger sein. ☐

Sebastian findet es lächerlich, dass man sich mit seinen Gästen unterhält. ☐

7.
Der Hausmeister will, dass Frau Schmitz ihren Fahrrad-Anhänger in den Keller stellt. ☐

Die Nachbarn stört Frau Schmitz' Fahrrad-Anhänger im Keller. ☐

Der Hausmeister will Frau Schmitz' Fahrrad-Anhänger kaufen. ☐

8.
Der Hausmeister will, dass das Haus ordentlich ist. ☐

Frau Schmitz will den Anhänger in ihr Keller-Abteil stellen. ☐

Frau Schmitz hat keinen Platz für den Anhänger und möchte, dass ihre Nachbarn toleranter sind. ☐

1/14

2 b) Jetzt sind Sie dran. Hören Sie und wiederholen Sie.

1/13

2 a) Text

Sebastian: Guten Morgen, Frau Schmitz!

Fr. Schmitz: Das war ja wohl eine Frechheit gestern Nacht!

Sebastian: Bitte? Was denn?

Fr. Schmitz: So einen Lärm habe ich ja noch nie erlebt. Ich wollte schon die Polizei rufen!

Sebastian: Was meinen Sie denn? Was für ein Lärm?

Fr. Schmitz: Na, bei Ihnen natürlich! Wie immer! Mitten in der Nacht haben Sie sich so laut unterhalten und gelacht, dass kein Mensch schlafen konnte! Und Musik gehört in einer Lautstärke ... Das hätte mal die Polizei hören sollen!

Sebastian: Ja, warum haben Sie sie dann nicht gerufen? Dann hätte die Polizei gesehen, dass Sie völlig übertreiben! Ich hatte gestern Geburtstag und hatte nur ein paar Freunde zum Essen eingeladen.

Fr. Schmitz: Ja, das habe ich gemerkt! Ständig dieses Klingeln und Türenschlagen, und dauernd diese Schritte im Treppenhaus.

Sebastian: Frau Schmitz, was soll dieser Unsinn? Wollen Sie mir verbieten, in meiner eigenen Wohnung Gäste zu empfangen?

Fr. Schmitz: Eigene Wohnung, dass ich nicht lache! Sie sind doch nur Mieter!

Sebastian: Ja, und dafür bezahle ich jeden Monat viel Geld! Frau Schmitz, wir sollten wirklich versuchen, in guter Nachbarschaft zu leben, sonst unterhalten wir uns irgendwann nur noch über den Rechtsanwalt!

Fr. Schmitz: Wollen Sie mir drohen? Ich werde an Ihren Vermieter schreiben, und dann wird Ihnen gekündigt, Sie werden schon sehen!

Sebastian: Das ist doch wirklich lächerlich. Es ist doch völlig normal, dass man hin und wieder Gäste hat und sich auch mit ihnen unterhält! Und Sie werden mich jetzt in Zukunft einfach in Ruhe lassen und mal versuchen, ein bisschen toleranter zu sein!

Fr. Schmitz: Da sieht man es wieder! Keine Manieren, diese jungen Leute! Was soll man sich denn noch alles bieten lassen? Ja, der Herr Hausmeister! Wie geht's denn?

Hausmeister: Guten Morgen, Frau Schmitz. Gut, dass ich sie treffe. Frau Schmitz, Sie haben doch diesen Fahrrad-Anhänger. Der steht jetzt schon seit Wochen im Keller und ich hab schon einige Beschwerden bekommen, dass er dort Ihre Nachbarn stört. Können Sie den nicht in Ihre Wohnung oder wenigstens in Ihr Kellerabteil stellen?

Fr. Schmitz: Aber das ist doch schon so voll! Wo soll ich den denn hinstellen?

Hausmeister: Tut mir leid, so ist die Hausordnung.

Fr. Schmitz: Diese Nachbarn! Können die nicht ein bisschen toleranter sein?

2 a) Lösung

1. Frau Schmitz schimpft, weil es in Sebastians Wohnung in der Nacht so laut war, dass sie nicht schlafen konnte.
2. Ein paar Freunde waren gestern bei Sebastian zum Essen, weil er Geburtstag hatte.
3. Frau Schmitz hat genau gehört, wie Sebastians Freunde die Treppe hochgegangen sind und geklingelt haben.
4. Frau Schmitz meint, Sebastian soll sich ruhig verhalten, weil er nicht der Besitzer der Wohnung ist.
5. Frau Schmitz will Sebastians Vermieter schreiben, damit der Sebastian die Wohnung kündigt.
6. Sebastian will, dass Frau Schmitz toleranter ist und ihn in Ruhe lässt.
7. Die Nachbarn stört Frau Schmitz' Fahrrad-Anhänger im Keller.
8. Frau Schmitz hat keinen Platz für den Anhänger und möchte, dass ihre Nachbarn toleranter sind.

1/14

2 b) Text

1. Könnten Sie bitte die Musik ein bisschen leiser stellen?
2. Ich habe heute ein paar Freunde eingeladen. Bitte entschuldigen Sie, wenn es ein bisschen lauter wird.
3. Jetzt übertreiben Sie aber. Wir haben uns doch nur unterhalten!
4. Könnten Sie bitte ein wenig ruhiger sein? Ich kann gar nicht schlafen!
5. Das ist doch Unsinn. Wollen Sie mir verbieten, in meiner Wohnung Gäste zu empfangen?
6. Wir sollten wirklich versuchen, in guter Nachbarschaft zu leben.
7. Wenn wir uns nicht einigen können, müssen wir uns über den Rechtsanwalt unterhalten.
8. Wenn das so ist, muss ich eine Beschwerde an Ihren Vermieter schreiben.
9. Könnten Sie nicht versuchen, in Zukunft ein bisschen toleranter zu sein?
10. Das kann ich mir wirklich nicht bieten lassen!
11. Sie sollten sich einfach an die Hausordnung halten.
12. Wir können doch über alles reden. Sagen Sie mir einfach, wenn Sie etwas stört!

B. Übung 3: Alternativ Wohnen

1/15

3 a) Im Radio gibt es heute den Themenabend „Architektur heute“. Ein Beitrag beschäftigt sich mit alternativen Wohnformen. Dazu sind zwei Frauen eingeladen worden, die seit Jahren sehr ungewöhnlich wohnen. Hören Sie und ergänzen Sie die Lücken.

Moderator: In unserem Studio darf ich heute zwei Damen begrüßen, die schon lange nicht mehr in einem _gewöhnlichen_ Haus geschlafen haben. Zuerst möchte ich gerne Wanda Roth ein paar Fragen stellen. Guten Abend, Wanda, schön, dass Sie zu uns gekommen sind!

Wanda: Ich freue mich auch. Guten Abend!

Moderator: Wanda, Sie leben seit drei Jahren etwa zehn Meter __________ __________ ____________________. Bitte erklären Sie doch unseren Hörerinnen und Hörern, wie das sein kann!

Wanda: Ja, ich lebe in einem ____________________. Eigentlich sind mir Baumhäuser seit meiner Kindheit vertraut. Meine Eltern hatten ein großes ______________________ mit vielen alten und hohen Bäumen. Dort hatte ich als Kind schon immer ein Baumhaus, in das ich mich gerne _____________________________ habe und wo ich mein ganz eigenes Reich hatte.

Moderator: Aber so einfach wie ein ____________________ für Kinder dürfen wir uns Ihre Behausung nicht vorstellen?

Wanda: Nein, gewiss nicht! Mein Haus hat einen ________________________ und einen __________________________ Schlafbereich, und auch auf Bad und Toilette wollte ich natürlich nicht verzichten.

Moderator: Wie kam es denn dazu, dass sich ein einfaches Spielhaus zu so einer ausgereiften Wohnidee ______________________ konnte?

Wanda: Das war nach dem Tod meines Vaters. Ich bin damals durch den Garten gewandert und wie früher als Kind in mein altes Baumhaus _____________________. Dort oben hatte ich wieder das ___________________ Gefühl von einerseits Freiheit und andererseits Schutz. Ich __________ mich auf einem Baum einfach unendlich _________.

Moderator: Damals haben Sie also den ________ gefasst, ein großes Baumhaus zu bauen?

Wanda: Ja, das könnte man so sagen. Natürlich gab es auf diesem Weg noch unzählige _____________________________. Erst musste ich einen Architekten finden, der sich auf so ein Experiment einließ. Und dann die viele Bürokratie, all die _____________________________. Ich mag gar nicht mehr daran denken, das war wirklich eine schwierige Zeit!

Moderator: Aber es ist Ihnen geglückt, schließlich die ____________________ nicht nur für den Bau, sondern auch für Ihr Wohnen zu ____________________.

Wanda: Richtig. Eigentlich wurde noch weiter an dem Baumhaus gebaut und es wurden ständig ________________________________ angebracht, als ich schon dort wohnte. Das war aber gut, denn so konnte ich gleich ___________________________, wie es für mich am angenehmsten und praktischsten war.

Moderator: Was sagt denn der Baum dazu?

Wanda: Oh, das ist ein kräftiger alter Kerl, der mich, glaube ich, gern auf seinen ___________ trägt!

Moderator: Das ist schön! Gibt es denn Situationen, in denen Sie __________ ___________?

Wanda: Ja, ich muss ________________, wenn es einen wirklich starken Sturm gibt, fühle ich mich nicht mehr _____________. Einmal habe ich nachts sogar mein Baumhaus verlassen und bin zu Freunden gefahren. Am nächsten Tag habe ich tatsächlich ein paar ________________ entdeckt, die aber schnell repariert werden konnten.

Moderator: Dann wünsche ich Ihnen noch viele glückliche Jahre in Ihrem Vogelnest! Und nun möchte ich Ihnen ein zweites, ebenso ungewöhnliches ________________________ vorstellen. Nadja Kieser, ich darf auch Sie ganz herzlich begrüßen.

Nadja: Guten Abend und vielen Dank für die Einladung ins Studio!

Moderator: Nadja, Sie leben schon viele Jahre ständig auf dem Wasser, in Ihrem ________________ in Berlin. Erzählen Sie uns doch kurz, wie Sie zu dieser unüblichen Wohnung gekommen sind!

Nadja: Stellen Sie sich vor, so ________________ ist das heute gar nicht mehr! Ich denke, meine Vorgängerin hier mit ihrem Baumhaus war da deutlich extravaganter. Die Zahl der Hausboote in Deutschland _________ ständig ____. Meistens sind es alte ___________________ Schiffe, aber es gibt auch moderne Projekte wie die „floating homes".

Moderator: Denken Sie, dass hier die Diskussion über die ________________ ____________________ eine Rolle spielt?

Nadja: Ganz bestimmt. Gerade in _______________________ Städten wie Hamburg fühlen sich die Leute sicherer in einem Objekt, das mit dem Element Wasser ________________ ist!

Moderator: Wie müssen wir uns das Leben auf einem Schiff vorstellen? ____________________ Sie auf viele komfortable Dinge des normalen Lebens?

Nadja: *(lacht)* Oh nein! Ich friere zum Beispiel leicht, aber ich habe auf meinem Boot eine sehr gut funktionierende _______________, genauso wie _________________________ , _________________________ und einen ____________________________________.

Moderator: Und was ist mit dem ____________________ und der ____________________?

Nadja: Auch die finden mich!

Moderator: Kostet so ein ____________________ denn nicht sehr viel Geld?

Nadja: Natürlich ist das nicht billig, aber für eine gewöhnliche Wohnung muss ja auch __________ bezahlt werden.

Moderator: Aber das klingt nicht mehr nach großer Freiheit. Könnten Sie denn den ____________________ fassen, mit Ihrem Boot eine __________ zu machen und es an einen anderen Platz legen?

Nadja: ______________ ist das nicht, das ist richtig. Es geht mir auch nicht um die große Freiheit, sondern mehr um das Leben auf dem Wasser. Wasser ist immer in _________________, und das gibt mir ein Gefühl von Kraft und Vitalität. Auf der anderen Seite wirkt diese Bewegung auf mich auch äußerst ____________________!

Moderator: Ja, Ihnen beiden ist zu wünschen, dass wir in nächster Zeit möglichst wenige ____________ erleben, denn sonst wird es ______________________ bei Ihnen daheim ... Noch einmal vielen Dank fürs Kommen, und wir machen jetzt wieder ein wenig Musik.

1/16

3 b) Hören Sie die Antworten und ergänzen Sie die fehlenden Wörter.

1. Weshalb lebt Wanda zehn Meter über dem Erdboden?

   Weil sie in einem B*aumhaus* lebt.

2. Wie sieht das Baumhaus aus?

   Es hat einen W____________________ und einen ab____________________ Sch____________________. Außerdem hat es B____ und T______________.

3. Weshalb fühlt sich Wanda auf einem Baum so wohl?

   Es gibt ihr ein G__________ von F______________,

   aber auch von S___________.

4. War es schwierig, das Baumhaus zu bauen?

   Ja, zuerst brauchte sie einen A____________________,

   der zu so einem E____________________ bereit war, und dann brauchte sie viele

   verschiedene G___________________________.

5. Gibt es Situationen, in denen Wanda Angst hat?

   Ja, bei st__________ S_____________ fühlt sie sich nicht mehr s__________.

6. Was hat sie einmal bei einem starken Sturm gemacht?

   Sie hat nachts das B________________ v_________________ und ist zu

   F_______________ gefahren.

   Es hatte auch ein paar S_____________ gegeben, die aber r______________

   w___________ konnten.

7. Nadja lebt in einem Hausboot. Ist das sehr unüblich in Deutschland?

   Nein, die Z______ der H_________________ n_________ ständig zu.

8. Was gibt es alles auf so einem Hausboot?

   Es gibt eine H_____________,

   E______________________,

   F______________________ und einen

   A_____________________________________. Außerdem kommen auch der

   P_______________ und die M___________________.

9. Lebt Nadja auf einem Boot, um frei zu sein?

   Nein, es geht ihr mehr um das L_________ auf dem W___________, das gibt ihr ein

   G__________ von K_________ und V________________ und b______________ sie.

10. Welchen Wunsch gibt der Moderator den beiden mit auf den Weg?

    Dass sie in nächster Zeit w_____________S____________ erleben!

Jetzt sind Sie dran. Hören Sie 3b) noch einmal und antworten Sie auf die Fragen.

1/15

3 a) Text und Lösung

Moderator: In unserem Studio darf ich heute zwei Damen begrüßen, die schon lange nicht mehr in einem *gewöhnlichen* Haus geschlafen haben. Zuerst möchte ich gerne Wanda Roth ein paar Fragen stellen. Guten Abend, Wanda, schön, dass Sie zu uns gekommen sind!

Wanda: Ich freue mich auch. Guten Abend!

Moderator: Wanda, Sie leben seit drei Jahren etwa zehn Meter *über dem Erdboden*. Bitte erklären Sie doch unseren Hörerinnen und Hörern, wie das sein kann!

Wanda: Ja, ich lebe in einem *Baumhaus*. Eigentlich sind mir Baumhäuser seit meiner Kindheit vertraut. Meine Eltern hatten ein großes *Grundstück* mit vielen alten und hohen Bäumen. Dort hatte ich als Kind schon immer ein Baumhaus, in das ich mich gerne *zurückgezogen* habe und wo ich mein ganz eigenes Reich hatte.

Moderator: Aber so einfach wie ein *Spielhaus* für Kinder dürfen wir uns Ihre Behausung nicht vorstellen?

Wanda: Nein, gewiss nicht! Mein Haus hat einen *Wohnbereich* und einen *abgetrennten* Schlafbereich, und auch auf Bad und Toilette wollte ich natürlich nicht verzichten.

Moderator: Wie kam es denn dazu, dass sich ein einfaches Spielhaus zu so einer ausgereiften Wohnidee *entwickeln* konnte?

Wanda: Das war nach dem Tod meines Vaters. Ich bin damals durch den Garten gewandert und wie früher als Kind in mein altes Baumhaus *geklettert*. Dort oben hatte ich wieder das *vertraute* Gefühl von einerseits Freiheit und andererseits Schutz. Ich *fühle* mich auf einem Baum einfach unendlich *wohl*.

Moderator: Damals haben Sie also den *Plan* gefasst, ein großes Baumhaus zu bauen?

Wanda: Ja, das könnte man so sagen. Natürlich gab es auf diesem Weg noch unzählige *Schwierigkeiten*. Erst musste ich einen Architekten finden, der sich auf so ein Experiment einließ. Und dann die viele Bürokratie, all die *Genehmigungen* ... Ich mag gar nicht mehr daran denken, das war wirklich eine schwierige Zeit!

Moderator: Aber es ist Ihnen geglückt, schließlich die *Erlaubnis* nicht nur für den Bau, sondern auch für Ihr Wohnen zu *bekommen*.

Wanda: Richtig. Eigentlich wurde noch weiter an dem Baumhaus gebaut und es wurden ständig *Verbesserungen* angebracht, als ich schon dort wohnte. Das war aber gut, denn so konnte ich gleich *ausprobieren*, wie es für mich am angenehmsten und praktischsten war.

Moderator: Was sagt denn der Baum dazu?

Wanda: Oh, das ist ein kräftiger alter Kerl, der mich, glaube ich, gern auf seinen *Ästen* trägt!

Moderator: Das ist schön! Gibt es denn Situationen, in denen Sie *Angst haben*?

Wanda: Ja, ich muss *zugeben*, wenn es einen wirklich starken Sturm gibt, fühle ich mich nicht mehr *sicher*. Einmal habe ich nachts sogar mein Baumhaus verlassen und bin zu Freunden gefahren. Am nächsten Tag habe ich tatsächlich ein paar *Schäden* entdeckt, die aber schnell repariert werden konnten.

Moderator: Dann wünsche ich Ihnen noch viele glückliche Jahre in Ihrem Vogelnest! Und nun möchte ich Ihnen ein zweites, ebenso ungewöhnliches *Wohnkonzept* vorstellen. Nadja Kieser, ich darf auch Sie ganz herzlich begrüßen.

Nadja: Guten Abend und vielen Dank für die Einladung ins Studio!

Moderator: Nadja, Sie leben schon viele Jahre ständig auf dem Wasser, in Ihrem *Hausboot* in Berlin. Erzählen Sie uns doch kurz, wie Sie zu dieser unüblichen Wohnung gekommen sind!

Nadja: Stellen Sie sich vor, so *unüblich* ist das heute gar nicht mehr! Ich denke, meine Vorgängerin hier mit ihrem Baumhaus war da deutlich extravaganter. Die Zahl der Hausboote in Deutschland *nimmt* ständig *zu*. Meistens sind es alte *umgebaute* Schiffe, aber es gibt auch moderne Projekte wie die „floating homes".

Moderator: Denken Sie, dass hier die Diskussion über die *globale Erwärmung* eine Rolle spielt?

Nadja: Ganz bestimmt. Gerade in *gefährdeten* Städten wie Hamburg fühlen sich die Leute sicherer in einem Objekt, das mit dem Element Wasser *vertraut* ist!

Moderator: Wie müssen wir uns das Leben auf einem Schiff vorstellen? *Verzichten* Sie auf viele komfortable Dinge des normalen Lebens?

Nadja: *(lacht)* Oh nein! Ich friere zum Beispiel leicht, aber ich habe auf meinem Boot eine sehr gut funktionierende *Heizung*, genauso wie *Elektrizität*, *Frischwasser* und einen *Abwasseranschluss*.

Moderator: Und was ist mit dem *Postboten* und der *Müllabfuhr*?

Nadja: Auch die finden mich!

Moderator: Kostet so ein *Liegeplatz* denn nicht sehr viel Geld?

Nadja: Natürlich ist das nicht billig, aber für eine gewöhnliche Wohnung muss ja auch *Miete* bezahlt werden.

Moderator: Aber das klingt nicht mehr nach großer Freiheit. Könnten Sie denn den *Entschluss* fassen, mit Ihrem Boot eine *Reise* zu machen und es an einen anderen Platz legen?

Nadja: *Einfach* ist das nicht, das ist richtig. Es geht mir auch nicht um die große Freiheit, sondern mehr um das Leben auf dem Wasser. Wasser ist immer in *Bewegung*, und das gibt mir ein Gefühl von Kraft und Vitalität. Auf der anderen Seite wirkt diese Bewegung auf mich auch äußerst *beruhigend*!

Moderator: Ja, Ihnen beiden ist zu wünschen, dass wir in nächster Zeit möglichst wenige *Stürme* erleben, denn sonst wird es *ungemütlich* bei Ihnen daheim ... Noch einmal vielen Dank fürs Kommen, und wir machen jetzt wieder ein wenig Musik.

1/16

3 b) Text und Lösung

1. Weshalb lebt Wanda zehn Meter über dem Erdboden?

   Weil sie in einem Baumhaus lebt.

2. Wie sieht das Baumhaus aus?

   Es hat einen Wohnbereich und einen abgetrennten Schlafbereich. Außerdem hat es Bad und Toilette.

3. Weshalb fühlt sich Wanda auf einem Baum so wohl?

   Es gibt ihr ein Gefühl von Freiheit, aber auch von Schutz.

4. War es schwierig, das Baumhaus zu bauen?

   Ja, zuerst brauchte sie einen Architekten, der zu so einem Experiment bereit war, und dann brauchte sie viele verschiedene Genehmigungen.

5. Gibt es Situationen, in denen Wanda Angst hat?

   Ja, bei starken Stürmen fühlt sie sich nicht mehr sicher.

6. Was hat sie einmal bei einem starken Sturm gemacht?

   Sie hat nachts das Baumhaus verlassen und ist zu Freunden gefahren.

   Es hatte auch ein paar Schäden gegeben, die aber repariert werden konnten.

7. Nadja lebt in einem Hausboot. Ist das sehr unüblich in Deutschland?

   Nein, die Zahl der Hausboote nimmt ständig zu.

8. Was gibt es alles auf so einem Hausboot?

   Es gibt eine Heizung, Elektrizität, Frischwasser und einen Abwasseranschluss.

   Außerdem kommen auch der Postbote und die Müllabfuhr.

9. Lebt Nadja auf einem Boot, um frei zu sein?

   Nein, es geht ihr mehr um das Leben auf dem Wasser, das gibt ihr ein Gefühl von Kraft und Vitalität und beruhigt sie.

10. Welchen Wunsch gibt der Moderator den beiden mit auf den Weg?

    Dass sie in nächster Zeit wenige Stürme erleben!

C. Spiel & Sport

C. Übung 1: Fit in den Tag

1/17

1 a) Im Radio gibt es jeden Morgen um sechs Uhr ein paar Minuten Gymnastik für Frühaufsteher. Hören Sie und ordnen Sie die Anweisungen den passenden Bildern zu.

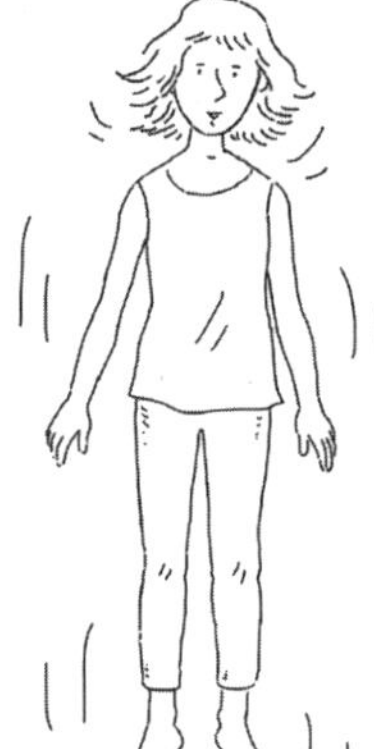

Bild	Anweisung
a)	*1*

Bild	Anweisung
b)	

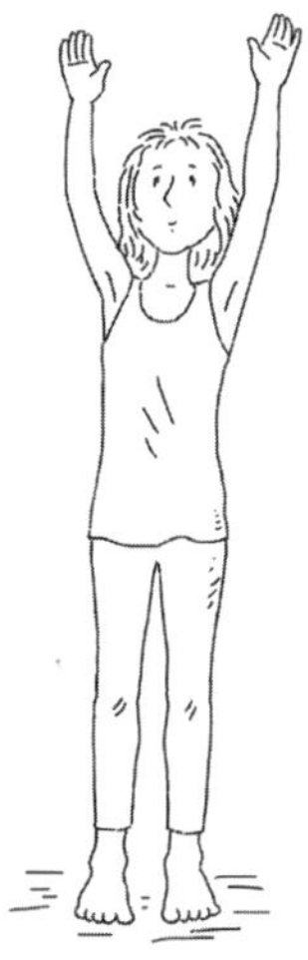

Bild	Anweisung
c)	

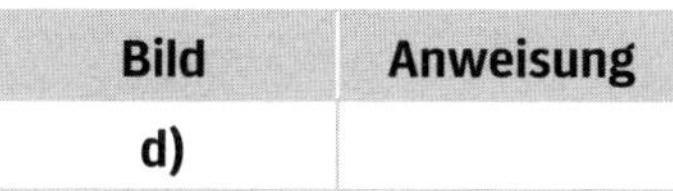

Bild	Anweisung
d)	

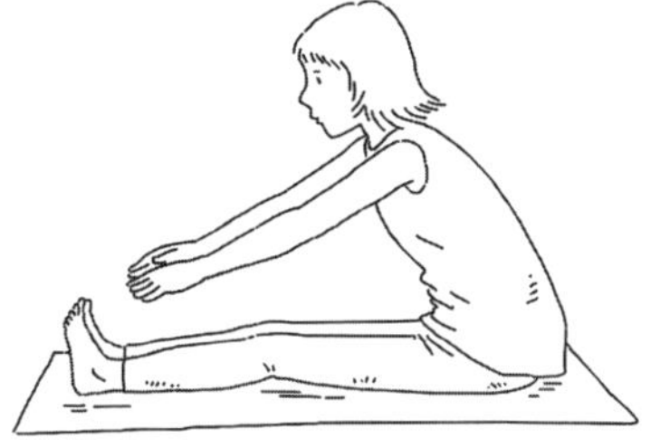

Bild	Anweisung
e)	

Bild	Anweisung
f)	

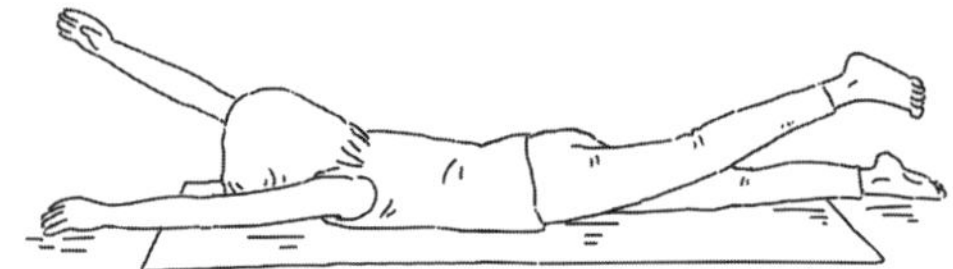

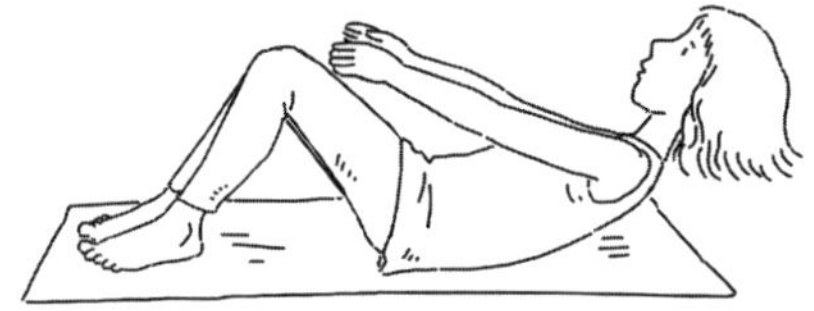

Bild	Anweisung
g)	

Bild	Anweisung
h)	

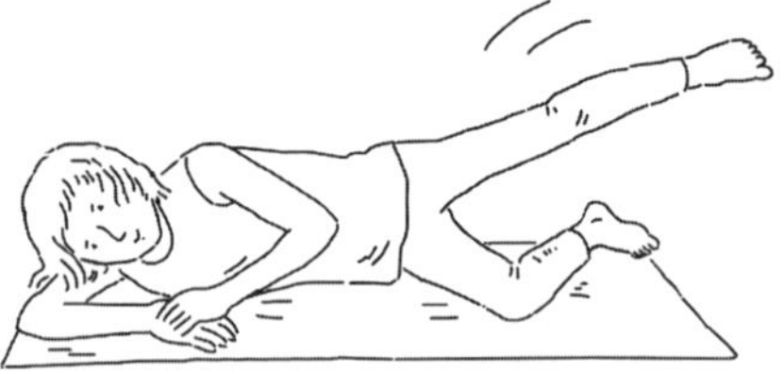

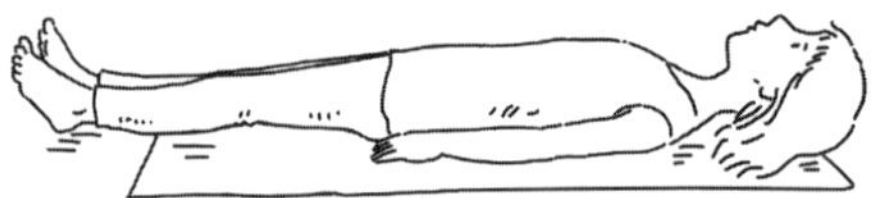

Bild	Anweisung
i)	

1/18

1 b) Sehen Sie sich die Bilder an und geben Sie die entsprechenden Anweisungen, die Sie bereits aus 1a) kennen. Dann hören Sie und wiederholen Sie.

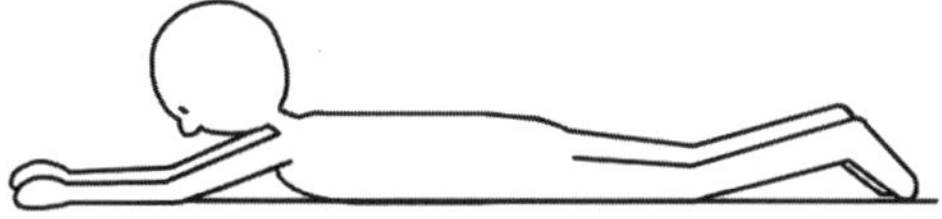

Bild 1: *Legen Sie sich auf den Bauch.*

Bild 2: ______________________________

Bild 3: ______________________________

____

Bild 4: ______________________________

____

Bild 5: ______________________________

____

____

____

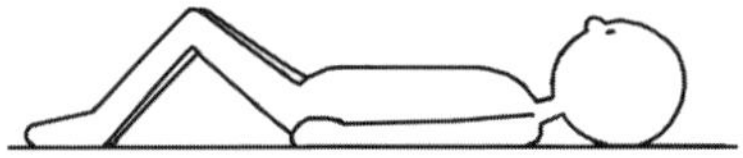

Bild 6: ______________________________

____

____

____

____

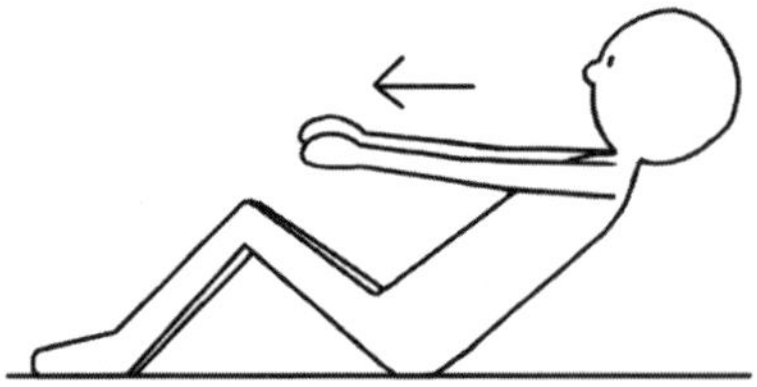

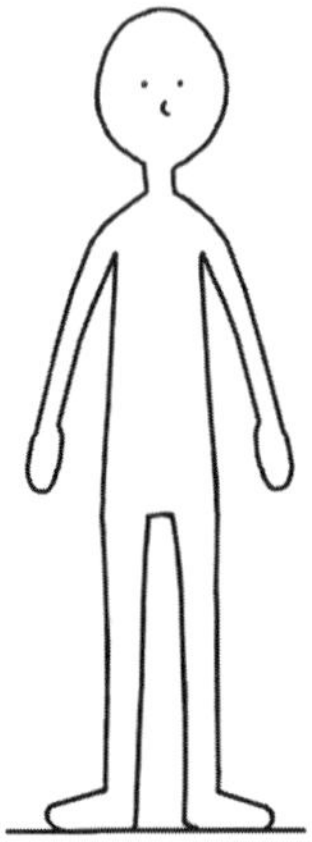

Bild 7: ______________________________

____

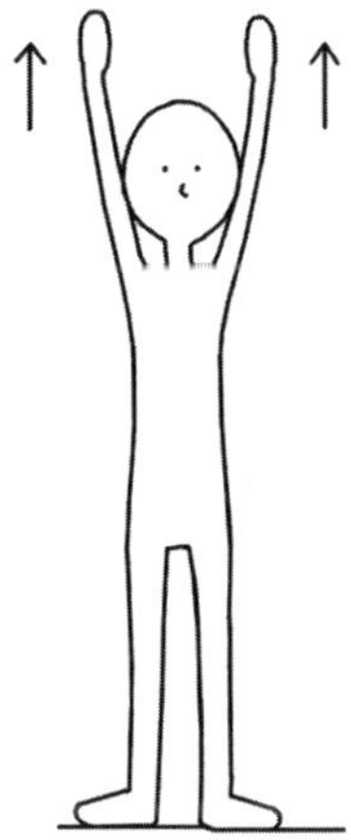

Bild 8: ______________________________

____

____

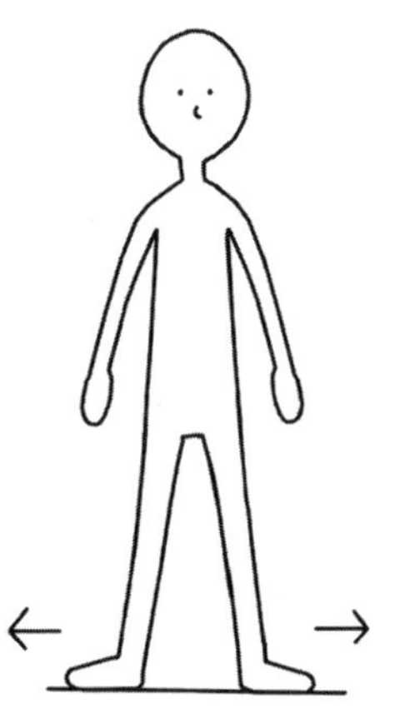

Bild 9: ______________________________

____

Bild 10: ______________________________

____

Bild 11: ______________________________

____

____

____

Bild 12: ______________________________

____

____

1/17

1 a) Text

Guten Morgen, liebe Frühaufsteher! Während alle anderen noch faul in ihren Betten liegen, gehen wir aktiv in den Tag! Sie werden sehen, wie gut Ihnen unsere kleinen gymnastischen Übungen tun.

1. Zuerst stellen Sie sich entspannt und gerade hin. Lassen Sie Ihre Arme locker hängen. Nun springen Sie ein Stück hoch, nicht zu weit. Das wiederholen Sie zehn Mal.
2. Nun bleiben Sie fest auf beiden Beinen stehen und strecken die Arme nach oben, ganz weit. Stellen Sie sich vor, Sie würden abwechselnd mit der rechten und mit der linken Hand nach einem Apfel greifen, der in einem Baum hängt. Auch diese Übung zehn Mal.
3. Als nächstes stellen Sie Ihre Füße ein wenig auseinander, etwa so weit, wie Ihre Schultern breit sind. Während Sie sich nach rechts beugen, heben Sie den linken Arm über den Kopf und strecken ihn zur Seite. Wenn Sie sich nach links beugen, dasselbe mit dem rechten Arm. Jeweils 15 Mal.
4. Jetzt breiten Sie auf dem Boden ein Handtuch aus und legen Sie sich darauf auf den Rücken. Stellen Sie die Füße auf den Boden, sodass die Knie der höchste Punkt sind. Sie richten Ihren Oberkörper auf und berühren kurz mit den Händen Ihre Knie. Legen Sie Ihren Oberkörper nicht ganz ab! Diese Bewegung wiederholen Sie 30 Mal.
5. War das anstrengend? Dann gönnen Sie sich eine kleine Pause von einer Minute und liegen Sie ganz entspannt da.
6. Jetzt geht es wieder weiter. Sie legen sich auf die rechte Seite und winkeln das rechte Bein ein wenig an. Das linke Bein strecken Sie aus und heben es hoch. Wenn Sie das Bein wieder senken, legen Sie es nicht ab. Es bleibt am Ende ein wenig in der Luft. Zehn Wiederholungen! Dann kommt die andere Seite an die Reihe.
7. Nun legen Sie sich auf den Bauch. Strecken Sie Ihre Beine und Arme gerade aus. Jetzt heben Sie das linke Bein und den rechten Arm. Das wiederholen Sie zehn Mal, und dann machen Sie dasselbe mit dem rechten Bein und dem linken Arm.
8. Setzen Sie sich gerade hin und strecken Sie Ihre Beine aus. Beugen Sie Ihren Oberkörper und versuchen Sie, mit den Händen Ihre Zehen zu fassen. Seien Sie nicht frustriert, wenn das noch nicht geht! Machen Sie ein oder zwei Wochen lang regelmäßig unser Morgenprogramm, und schon werden Sie Erfolge sehen!
9. Nun stellen Sie sich noch einmal hin und strecken Sie sich in alle Richtungen. Schütteln Sie dabei Ihre Arme und Beine und machen Sie sich locker für einen erfolgreichen Tag!

Vielen Dank, dass Sie so fleißig mitgemacht haben. Wir hören uns wieder morgen früh! Tschüs und auf Wiederhören!

1 a) Lösung

Bild:	a)	b)	c)	d)	e)	f)	g)	h)	i)
Text:	1	9	2	8	3	7	4	6	5

1/18

1 b) Lösung

1. Legen Sie sich auf den Bauch.
2. Setzen Sie sich hin.
3. Strecken Sie Ihre Beine aus.
4. Legen Sie sich auf den Rücken.
5. Stellen Sie Ihre Füße auf den Boden, sodass die Knie der höchste Punkt sind.
6. Richten Sie den Oberkörper auf und berühren Sie mit den Händen die Knie.
7. Stellen Sie sich gerade hin.
8. Strecken Sie Ihre Arme über den Kopf nach oben.
9. Stellen Sie Ihre Füße ein wenig auseinander.
10. Beugen Sie sich nach rechts.
11. Heben Sie den linken Arm über den Kopf und strecken Sie ihn zur Seite.
12. Stellen Sie sich hin und schütteln Sie locker Ihre Arme.

C. Übung 2: Mehr als nur ein Hobby?

1/19

2 a) Hören Sie das Interview mit dem jungen Eisschnellläufer Jakob Meissner einmal ganz. Dann hören Sie es noch einmal in Abschnitten und beantworten Sie die folgenden Fragen.

1. Warum konnte Jakob in Innsbruck nur den vierten Platz belegen?
   Weil er gestürzt ist.
2. Warum hat er es trotzdem geschafft, platziert zu werden?
   ______________________________.
3. Warum muss man solche Situationen üben?
   ______________________________.
4. Wie oft trainiert Jakob unter der Woche?
   ______________________________.
5. Was findet oft an Wochenenden statt?
   ______________________________.
6. Wie sieht das Sommertraining aus?
   ______________________________.
7. Wann ist Jakob mit der Schule fertig?
   ______________________________.
8. Hat Jakob jemals daran gedacht aufzuhören?
   ______________________________.
9. Warum hört er aber nicht auf?
   ______________________________.
10. Was wäre, wenn Jakob keinen Sport mehr hätte?
    ______________________________.
11. Hatte Jakob schon eine längere Beziehung mit einem Mädchen?
    ______________________________.
12. Will Jakob bei den nächsten Olympischen Spielen starten?
    ______________________________.

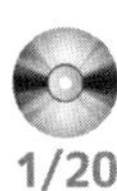
1/20

2 b) Jetzt sind Sie dran. Hören Sie und wiederholen Sie.

2 a) Text

1/19

Reporterin: Jakob, du bist heute wieder einmal deiner Konkurrenz davongelaufen. Was ist das Geheimnis deines konstanten Erfolgs?

Jakob: *(lacht)* Na ja, immer bin ich auch nicht erfolgreich. Zum Beispiel in Innsbruck letztes Jahr, da bin ich gestürzt und konnte nur den vierten Platz belegen.

Reporterin: Was nach einem Sturz immer noch eine gute Leistung ist!

Jakob: Ja, klar. Aber ... unser Training konzentriert sich auch oft darauf, mit kritischen Situationen in einem Wettkampf fertig zu werden. Wenn man solche Situationen nicht übt, gibt man im Ernstfall zu schnell auf.

Reporterin: Stichwort Training: Wie viel trainierst du?

Jakob: Ich bin auf einem Sportgymnasium, da haben wir vor Unterrichtsbeginn jeden Morgen zwei Stunden Training. Dazu kommt dreimal in der Woche noch das Abendtraining, auch jeweils zwei Stunden. Und die Wochenenden sind eigentlich auch selten frei, oft gibt es da Wettkämpfe oder wir sind im Trainingslager.

Reporterin: Was macht ihr im Sommer? Da könnt ihr doch nicht auf eine Eislaufbahn.

Jakob: Im Sommer machen wir hauptsächlich Ausdauertraining und wir fahren Inliner. Das ist ein guter Ersatz für die Schlittschuhe.

Reporterin: Das Trainingsprogramm klingt hart. Wie kommst du denn bei diesem großen Zeitaufwand noch zum Lernen?

Jakob: Bisher ging das ganz gut, denn die Lehrer an einem Sportgymnasium sind das ja gewohnt und nehmen auf unser Training Rücksicht. Aber jetzt bin ich im vorletzten Jahr und schreibe nächstes Jahr Abitur, da ist schon eine Menge zu tun. Oft sitze ich bis Mitternacht und lerne.

Reporterin: Hast du jemals daran gedacht aufzuhören? Hattest du mal keine Lust mehr, dich so anzustrengen?

Jakob: Klar, das kommt immer wieder vor. Aber ich brauche das auch, die ständige Bewegung, die Herausforderung und den Kick bei den Wettkämpfen. Ich denke, ohne meinen Sport würde ich mein Leben inzwischen wirklich langweilig finden!

Reporterin: Und wie ist das mit den Mädchen? Hast du denn Zeit zum Ausgehen?

Jakob: *(grinst)* Dazu habe ich immer Zeit! Ich lerne schon viele Mädchen kennen. Die finden das toll, dass ich so ein guter Sportler bin. Aber an so einer richtig engen Beziehung hatte ich bisher noch kein Interesse.

Reporterin: Und – können wir uns darauf freuen, dich bei den nächsten Olympischen Spielen zu sehen?

Jakob: Das ist definitiv mein Ziel. Ob ich bis dahin meinen Trainingsstand optimieren kann und ob auch alles andere passt, kann ich natürlich nicht beurteilen. Aber auf jeden Fall bin ich noch jung genug, dass es eines Tages klappen sollte.

2 a) Lösung

1. Warum konnte Jakob in Innsbruck nur den vierten Platz belegen?
   Weil er gestürzt ist.
2. Warum hat er es trotzdem geschafft, platziert zu werden?
   Das Training konzentriert sich darauf, mit kritischen Situationen in Wettkämpfen fertig zu werden.
3. Warum muss man solche Situationen üben?
   Damit man im Ernstfall nicht zu schnell aufgibt.
4. Wie oft trainiert Jakob unter der Woche?
   Jeden Morgen zwei Stunden vor Unterrichtsbeginn und dreimal pro Woche abends zwei Stunden.
5. Was findet oft an Wochenenden statt?
   Wettkämpfe oder Trainingslager.
6. Wie sieht das Sommertraining aus?
   Im Sommer macht Jakob hauptsächlich Ausdauertraining und er fährt Inliner.
7. Wann ist Jakob mit der Schule fertig?
   Er schreibt nächstes Jahr Abitur.
8. Hat Jakob jemals daran gedacht aufzuhören?
   Ja, das kommt immer wieder vor.
9. Warum hört er aber nicht auf?
   Er braucht die ständige Bewegung, die Herausforderung und den Kick bei den Wettkämpfen.
10. Was wäre, wenn Jakob keinen Sport mehr hätte?
    Er würde sein Leben langweilig finden.
11. Hatte Jakob schon eine längere Beziehung mit einem Mädchen?
    Nein, daran hatte er noch kein Interesse.
12. Will Jakob bei der nächsten Olympiade starten?
    Ja, das ist sein Ziel.

1/20

2 b) Lösung

1. Bei meinem letzten Wettkampf bin ich gestürzt und nur Vierter geworden.
2. Die Konkurrenz ist groß, aber ich bin doch ziemlich erfolgreich.
3. Das Training konzentriert sich auf kritische Situationen in einem Wettkampf.
4. Man darf nicht zu schnell aufgeben.
5. Ich trainiere jeden Morgen zwei Stunden und dreimal die Woche auch abends.
6. An den Wochenenden sind Wettkämpfe oder Trainingslager.
7. Ich brauche Bewegung und Herausforderung, deshalb trainiere ich so hart.
8. Ich muss meinen Trainingsstand noch optimieren.
9. Mein Ziel ist die Teilnahme an den nächsten Olympischen Spielen.
10. Ohne Sport würde ich mein Leben langweilig finden.

C. Übung 3: Erklär mir das doch mal! – Regeln beim Fußball

1/21

3 a) Sabine hat einen neuen Freund, einen großen Fan des regionalen Fußballklubs. Er hat sie am Samstag ins Stadion eingeladen, aber es ist ihr peinlich, dass sie keine Ahnung von Fußball hat. Hören Sie den Dialog zwischen Sabine und ihrem Vater und ergänzen Sie die Lücken.

Sabine: Du Papa, hättest du vielleicht kurz Zeit für mich?

Vater: Was gibt's?

Sabine: Am Samstag nimmt mich Florian doch mit ins Stadion. Könntest du mir noch die wichtigsten ______________ erklären, damit ich ein bisschen was verstehe und nichts Dummes sage?

Vater: *(lacht)* Ach, sieh mal an, mein Fräulein Tochter interessiert sich plötzlich für Fußball! Na klar, das ________________ ich dir gern. Gib mir mal Papier und einen Bleistift.

Sabine: Hier!

Vater: Danke. Also, schau mal: Hier auf dem ___________ sind von jeder ______________________ elf _______________. Zehn laufen auf dem Feld herum, und einer steht im ______.

Sabine: *(lacht)* Na, soviel wusste sogar ich schon!

Vater: Die Spieler dürfen den Ball immer nur mit den Füßen _________________, nie mit der Hand.

Sabine: Und der ________________?

Vater: Der darf natürlich den Ball mit der Hand __________________, aber nur im ____. Das sind diese Linien vor dem Tor, das nennt man auch ____________________.

Sabine: Warum?

Vater: Wenn ein Spieler im Strafraum ________________ wird, dann gibt es einen Elfmeter.

Sabine: Das ist ...?

Vater: Das ist ein ______________ auf das Tor aus elf Metern Distanz.

Sabine: Und was alles ist ein _________?

Vater: Wenn ich den Gegner ____________________ oder ______________________, wenn ich ihm ein Bein stelle, damit er drüber fällt, also alle unfairen Mittel, um an den Ball zu kommen. Normalerweise gibt es nach einem Foul einen ________________, das heißt, der gefoulte Spieler oder ein anderer von seinem Team bekommen den Ball. Toll ist natürlich, wenn ein Spieler den Freistoß in der __________ des Tors bekommt. Dann hat er gute ________________, ein Tor zu machen.

Sabine: Und was ist, wenn ein Spieler _______ _____ _______, als ob der andere ihn foult? Wenn er sich auf den Boden ___________ und so tut, als hätte er ____________________?

Vater: *(anerkennend)* Gut, das hast du wohl schon einmal gesehen! Das nennt man dann eine „Schwalbe". Das ist oft schwer zu __________________ für den ____________________________. Aber was er entscheidet, das gilt, da darf sich keiner beschweren.

Sabine: Aber wenn sich einer doch ____________________?

Vater: Dann riskiert er eine ___________ ___________. Das ist wie eine ______________________. Das Schlimmste ist eine _________ ___________, dann darf er nicht mehr mitspielen.

Sabine: Und wenn einer dauernd foult?

Vater: Dann auch. Erst kriegt er die Gelbe, und wenn es sein muss auch die Rote Karte.

Sabine: Und was passiert, wenn einer den Ball über die Linie _______________, raus aus dem __________________?

Vater: Dann hat die gegnerische Mannschaft _______________, das heißt, die dürfen den Ball zu ihren eigenen Leuten werfen, diesmal sogar mit der Hand. Und wenn der Ball über die Linien rechts und links vom eigenen Tor geschossen wird, dann gibt es für die ___________________________ _________________ eine Ecke. Das ist, wenn ein Spieler von einer der ___________ am Ende der Torlinie den Ball schießen darf und seine Leute versuchen, so gut vor dem Tor zu stehen, dass sie den Ball ins Tor lenken können. Das ist immer eine gute __________________.

Sabine: Geht da der Ball auch manchmal direkt ins Tor?

Vater: Ja, das ist möglich, aber sehr selten.

Sabine: Und was ist dieses komische _______________?

Vater: Oh, das ist ziemlich ______________________! Weißt du was? Schau dir erst mal das Spiel am Samstag an, du kannst jetzt schon gut mit deinem _____________ glänzen! Wenn du ein Abseits nicht erkennst, dann bist du nicht die Einzige ...

Sabine: Super, danke Papa!

1/22

3 b) Jetzt sind Sie dran. Sie erklären einem Freund die Spielregeln von Fußball. Hören Sie und sprechen Sie nach.

1/21

3 a) Text und Lösung

Sabine: Du Papa, hättest du vielleicht kurz Zeit für mich?

Vater: Was gibt's?

Sabine: Am Samstag nimmt mich Florian doch mit ins *Stadion*. Könntest du mir noch die wichtigsten *Regeln* erklären, damit ich ein bisschen was verstehe und nichts Dummes sage?

Vater: *(lacht)* Ach, sieh mal an, mein Fräulein Tochter interessiert sich plötzlich für Fußball! Na klar, das *erkläre* ich dir gern. Gib mir mal Papier und einen Bleistift.

Sabine: Hier!

Vater: Danke. Also, schau mal: Hier auf dem *Platz* sind von jeder *Mannschaft* elf *Spieler*. Zehn laufen auf dem Feld herum, und einer steht im *Tor*.

Sabine: *(lacht)* Na, soviel wusste sogar ich schon!

Vater: Die Spieler dürfen den Ball immer nur mit den Füßen *berühren*, nie mit der Hand.

Sabine: Und der *Torwart*?

Vater: Der darf natürlich den Ball mit der Hand *abwehren*, aber nur im *Sechzehnmeterraum*. Das sind diese Linien vor dem Tor, das nennt man auch *Strafraum*.

Sabine: Warum?

Vater: Wenn ein Spieler im Strafraum *gefoult* wird, dann gibt es einen Elfmeter.

Sabine: Das ist ...?

Vater: Das ist ein *Schuss* auf das Tor aus elf Metern Distanz.

Sabine: Und was alles ist ein *Foul*?

Vater: Wenn ich den Gegner *festhalte* oder *wegschiebe*, wenn ich ihm ein Bein stelle, damit er drüber fällt, also alle unfairen Mittel, um an den Ball zu kommen. Normalerweise gibt es nach einem Foul einen *Freistoß*, das heißt, der gefoulte Spieler oder ein anderer von seinem Team bekommen den Ball. Toll ist natürlich, wenn ein Spieler den Freistoß in der *Nähe* des Tors bekommt. Dann hat er gute *Chancen*, ein Tor zu machen.

Sabine: Und was ist, wenn ein Spieler *nur so tut*, als ob der andere ihn foult? Wenn er sich auf den Boden *wirft* und so tut, als hätte er *Schmerzen*?

Vater: *(anerkennend)* Gut, das hast du wohl schon einmal gesehen! Das nennt man dann eine „Schwalbe". Das ist oft schwer zu *erkennen* für den *Schiedsrichter*. Aber was er entscheidet, das gilt, da darf sich keiner beschweren.

Sabine: Aber wenn sich einer doch *beschwert*?

Vater: Dann riskiert er eine *Gelbe Karte*. Das ist wie eine *Verwarnung*. Das Schlimmste ist eine *Rote Karte*, dann darf er nicht mehr mitspielen.

Sabine: Und wenn einer dauernd foult?

Vater: Dann auch. Erst kriegt er die Gelbe, und wenn es sein muss auch die Rote Karte.

Sabine: Und was passiert, wenn einer den Ball über die Linie *schießt*, raus aus dem *Spielfeld*?

Vater: Dann hat die gegnerische Mannschaft *Einwurf*, das heißt, die dürfen den Ball zu ihren eigenen Leuten werfen, diesmal sogar mit der Hand. Und wenn der Ball über die Linien rechts und links vom eigenen Tor geschossen wird, dann gibt es für die *gegnerischen Spieler* eine Ecke. Das ist, wenn ein Spieler von einer der *Ecken* am Ende der Torlinie den Ball schießen darf und seine Leute versuchen, so gut vor dem Tor zu stehen, dass sie den Ball ins Tor lenken können. Das ist immer eine gute *Torchance*.

Sabine: Geht da der Ball auch manchmal direkt ins Tor?

Vater: Ja, das ist möglich, aber sehr selten.

Sabine: Und was ist dieses komische *Abseits*?

Vater: Oh, das ist ziemlich *kompliziert*! Weißt du was? Schau dir erst mal das Spiel am Samstag an, du kannst jetzt schon gut mit deinem *Wissen* glänzen! Wenn du ein Abseits nicht erkennst, dann bist du nicht die Einzige ...

Sabine: Super, danke Papa!

1/22

3 b) Text

1. Eine Mannschaft hat elf Spieler, einer davon ist der Torwart.
2. Die Spieler dürfen den Ball nur mit den Füßen berühren, nie mit der Hand.
3. Nur der Torwart darf im Sechzehnmeterraum seine Hände benutzen.
4. Wenn ein Spieler im Strafraum gefoult wird, gibt es einen Elfmeter.
5. Ein Elfmeter ist ein Schuss auf das Tor aus elf Metern Distanz.
6. Nach einem Foul gibt es einen Freistoß.
7. Wenn ein Spieler nur so tut, als ob der andere ihn foult, heißt das „Schwalbe".
8. Was der Schiedsrichter entscheidet, das gilt. Darüber darf sich keiner beschweren.
9. Wer eine Rote Karte bekommt, darf nicht mehr mitspielen.
10. Wenn der Ball aus dem Spielfeld geschossen wird, bekommt die gegnerische Mannschaft einen Einwurf.
11. Wenn der Ball über die Linie neben dem eigenen Tor geschossen wird, bekommt die gegnerische Mannschaft einen Eckball.
12. Bei einem Eckball darf ein Spieler den Ball von einer der Ecken am Ende der Torlinie schießen und seine Mitspieler können ihn aufs Tor lenken.

D. Film & Fernsehen

D. Übung 1: Was für ein langweiliges Fernsehprogramm!

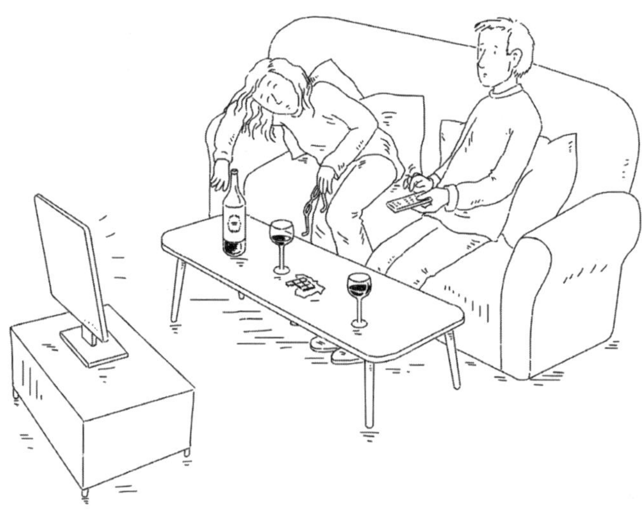

1/23

1 a) Bettina und Bernhard wollen am Abend etwas im Fernsehen anschauen. Hören Sie und kreuzen Sie an: Was ist richtig?

1. In „Kommissar Kalle“ geht es heute um
   - ☐ kriminelle Banken.
   - ☒ eine Entführung.
   - ☐ einen Mord.

2. Die Sendung „Aspekte“ bringt Beiträge
   - ☐ zu politischen und kulturellen Themen.
   - ☐ zu leichten Themen.
   - ☐ zu dramatischen Themen.

3. Die französische Komödie macht Bettina nervös, denn
   - ☐ sie ist wahnsinnig.
   - ☐ sie ist schlecht synchronisiert.
   - ☐ sie ist aus den 80er-Jahren.

4. Die Dokumentation über Vögel
   - ☐ geht schon in fünf Minuten los.
   - ☐ ist Bettina zu langweilig.
   - ☐ ist über Vögel in aller Welt.

5. Die alte Verfilmung von „Krieg und Frieden"
   - ☐ fängt erst um 0.40 Uhr an.
   - ☐ dauert durch die viele Werbung zu lange.
   - ☐ steht im Programm für nächste Woche.

6. Der Themenabend zu Nofretete
   - ☐ würde Bernhard sehr entspannen.
   - ☐ ist Teil von mehreren Beiträgen zur Geschichte des alten Ägyptens.
   - ☐ ist sicher gut, denkt Bettina.

7. Bernhard möchte die Nachrichten anschauen
   - ☐ und dann durch die Programme zappen.
   - ☐ , aber das interessiert Bettina nicht.
   - ☐ , aber Zappen findet er verrückt.

8. Bettina und Bernhard wollen eine DVD
   - ☐ mit den „Simpsons" anschauen.
   - ☐ mit einer Jane-Austen-Verfilmung anschauen.
   - ☐ mit den BBC-Nachrichten zum Geburtstag der Queen anschauen.

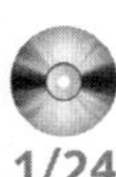
1/24

1 b) Hören Sie und sprechen Sie nach.

1/23

1 a) Text

Bettina: Also, im ersten Programm kommt eine Krimiserie, „Kommissar Kalle“. Da geht es heute um eine Entführung, die Geschichte spielt in der Bankenwelt in Frankfurt. Was hältst du davon?

Bernhard: Ich weiß nicht. Ich würde gern etwas Leichteres anschauen, Krimis sind immer so dramatisch. Mein Tag war heute dramatisch genug ...

Bettina: *(lacht)* Oh, du Armer! Dann vielleicht im ZDF „Aspekte“? Interessante Beiträge über kulturelle und politische Themen? *(murmelt)* Naja, ist auch nicht gerade leichter ...

Bernhard: Und hier, was meinst du: Eine französische Komödie aus den 80er-Jahren mit Louis de Funès?

Bettina: Du, das macht mich nervös! Diese wahnsinnig schnellen Dialoge, und immer reden mindestens zwei Personen gleichzeitig, weil es so schlecht synchronisiert ist – bitte nicht!

Bernhard: Du hast ja recht. Oder etwas ganz Ruhiges? Hier gibt es eine Dokumentation über die Vogelwelt in Mecklenburg-Vorpommern ...

Bettina: Weißt du was? Dann geh ich lieber ins Bett. Das ist ja sicher wahnsinnig interessant, aber wahrscheinlich schlafe ich nach fünf Minuten ein.

Bernhard: Hm. Oh, schau mal, das ist ein toller Film: „Krieg und Frieden“, in der alten Verfilmung mit Audrey Hepburn!

Bettina: Schatz, weißt du wie lange das dauert? Im Privatsender mit ständigen Unterbrechungen für Werbung? Im Programm steht, er endet um 0.40 Uhr!

Bernhard: Schade, das schaffe ich heute nicht mehr.

Bettina: Hier gibt es einen Themenabend zu Nofretete und mehrere Beiträge zur Geschichte des alten Ägyptens.

Bernhard: Bettina, ich möchte entspannen und nicht mich langweilen!

Bettina: *(ein bisschen genervt)* Ist ja gut! Was schlägst du vor?

Bernhard: Ich weiß auch nicht. Auf jeden Fall könnten wir erst einmal die Nachrichten anschauen. Und dann zappen wir einfach mal durch ...

Bettina: Die Nachrichten möchte ich auch sehen, aber Zappen – mit mir nicht. Das macht mich ganz verrückt.

Bernhard: Und wie wär's mit den „Simpsons“?

Bettina: *(ironisch)* Oh, unser Abendprogramm wird immer intellektueller!

Bernhard: Jetzt habe ich die Idee! Wir haben uns doch immer noch nicht die DVD angeschaut, die du mir zum Geburtstag geschenkt hast. Diese alte BBC-Verfilmung von dem Jane-Austen-Roman. Das wäre doch etwas! Und den können wir auch auf Englisch anschauen, da hast du dann deine intellektuelle Herausforderung!

Bettina: Einverstanden! Ich hole schon mal die Flasche Rotwein ...

Bernhard: ... und ich die Schokolade!

1 a) Lösung

1. In „Kommissar Kalle“ geht es heute um eine Entführung.
2. Die Sendung „Aspekte“ bringt Beiträge zu politischen und kulturellen Themen.
3. Die französische Komödie macht Bettina nervös, denn sie ist schlecht synchronisiert.
4. Die Dokumentation über Vögel ist Bettina zu langweilig.
5. Die alte Verfilmung von „Krieg und Frieden“ dauert durch die viele Werbung zu lange.
6. Der Themenabend zu Nofretete ist Teil von mehreren Beiträgen zur Geschichte des alten Ägyptens.
7. Bernhard möchte die Nachrichten anschauen und dann durch die Programme zappen.
8. Bettina und Bernhard wollen eine DVD mit einer Jane-Austen-Verfilmung anschauen.

1/24

1 b) Text

1. Es gibt so viele Krimiserien! Aber Krimis gefallen mir nicht, die sind immer so dramatisch und brutal.
2. Ich mag gerne Beiträge über politische oder kulturelle Themen.
3. Alte Filme, die aus dem Französischen übersetzt wurden, sind oft sehr schlecht synchronisiert.
4. Ich entspanne mich gern bei einer leichten Komödie.
5. Dokumentationen über Tiere oder fremde Länder sind die einzigen Sendungen, die ich gern im Fernsehen anschaue.
6. Ich könnte mir jeden Abend einen romantischen Liebesfilm anschauen.
7. Politische Diskussionsrunden finde ich sehr interessant. Dabei lerne ich neue Argumente kennen und bilde meine politische Meinung.
8. Die vielen Werbeunterbrechungen auf den Privatsendern machen es für mich schwierig, einen Film wirklich zu genießen.
9. Am liebsten zappe ich den ganzen Abend durch alle Programme. Dann stört mich auch die Werbung nicht mehr!
10. Inzwischen gibt es Casting-Sendungen zu den verschiedensten Themen.
11. Viele amerikanische Serien sind bei deutschen Jugendlichen sehr beliebt.
12. Ich sehe mir jeden Abend die Nachrichten und den Wetterbericht an. So bin ich immer gut informiert.

D. Übung 2: *Curryhuhn im Park*

1/25

2 a) In einer beliebten Talkshow wird jeden Monat ein neuer Film vorgestellt. Heute ist Katja Künzle eingeladen, die in der neuen Liebeskomödie „Curryhuhn im Park" die Hauptrolle spielt. Hören Sie und verbinden Sie die passenden Sätze.

1. Ab nächstem Donnerstag läuft
2. Die Schlüsselszene spielt
3. Ich möchte kurz etwas über
4. Ich spiele eine junge Frau,
5. Nachdem sie von einem Mann verlassen wurde,
6. Bei den Dreharbeiten musstest du in kurzer Zeit
7. Das Essen wird jeden Abend
8. Er fragt sie, ob sie nicht ihr Curryhuhn
9. Er ist eigentlich ein Computerfachmann,
10. Seine Mutter wird krank und
11. Nicole ist bald überzeugt,
12. Noor Kalet ist indischer Herkunft,
13. Wenn es einmal stressig wurde,
14. Die Drehtage waren so ausgefüllt,
15. Aber Indien wird ganz sicher

a) er muss auf unbestimmte Zeit zurück nach Indien.
b) mit ihm zusammen im Park vor dem Haus essen möchte.
c) von demselben netten jungen Inder geliefert.
d) dein neuester Film in den Kinos.
e) der aber noch keine Stelle gefunden hat.
f) dass wir kaum Zeit hatten, etwas anzuschauen.
g) das Ziel meiner nächsten Urlaubsreise.
h) lebt aber seit seiner Kindheit in Berlin.
i) wird sie depressiv und beginnt unendlich viel zu essen.
j) hat er immer mit seinem wunderbaren Humor die Situation entspannt.
k) die im Privatleben ständig Pech hat.
l) die Handlung des Films erzählen.
m) in einem Park.
n) dass der wirkliche Grund für die Reise eine arrangierte Hochzeit ist.
o) einige Kilo zu- und wieder abnehmen.

Tragen Sie hier die richtigen Lösungen ein:

1.	2.	3.	4.	5.	6.	7.	8.	9.	10.	11.	12.	13.	14.	15.
d)														

1/26

2 b) Jetzt sind Sie dran. Versuchen Sie, den Inhalt des Films zu erzählen. Orientieren Sie sich dabei an den vorgegebenen Sätzen und ergänzen Sie die Lücken. Hören Sie nach jedem Satz zur Kontrolle.

1. D*ie* Haupt__________ sp________ _________ junge F______, d__
   erf________________ in i_________ Ber____ ist, ab____ _____ Privat_________
   stän______ P______ ______.

2. Na___________ Ni_________ v____ ein____ M______ verl_________
   w________, wird sie d_________________ und b_____________ un______________
   v______ zu e_________.

3. J_________ Ab_______ best________ sie ______ E_________ in ei_____
   ind_____________ R__________________, m_____________
   ____________________, d_____ v_____ ei_______ n____________ j__________
   l_________ gel_____________ w______.

4. Salim, d_____ l_________, vers_________, d________ ______________ e__
   Pr____________ h____, _________ er h_____ n_________ d_____ M____, sie _____
   fr_________.

5. An ei_______ A_________ öf_________ s_____ i_____ w_____________ d____ T___
   und _____ m___________ s_____ n_________ al___________ l___________.

6. Da fr_______ _____ _______, o__ s_____ n_________ i_____ ______________________ m__
   i_____ zus______________ i__ P______ v____ d_____ H_______ es_____
   m___________.

7. D____ b___________ ver_______________s______ _______ ______________ g_____
   b______ j_________ T_____ jo__________ i__ __________, _____ w_________
   _________nehmen.

8. ___________ h____ a______ ei______
   Sch______________________________, _________ _____ ei_______________
   C____ ______, a_______ n_______ k_______
   St_________ gef_____________ h____.

9. ___________ __________ Nicole i_____ h____________, __________ s_____ h____ e______
   g______ St__________in ei_______ IT-___________.

10. _________ w_______ _____________ M____________ k_________ _______ er m_____
    z___________ n_______ l___________.

11. Nicole ____ b_______ ü_________________, _________ ________ wir___________
    G_________ f____ Salims R_________ n_______ l___________ e_____
    arr_________________ H________________ ist.

1/25

2 a) Text

Moderator: Ich freue mich, Katja, dass du heute Abend kommen konntest.

Katja: Ganz meinerseits, Kai! Herzlichen Dank für die Einladung!

Moderator: Katja, ab nächstem Donnerstag läuft in unseren Kinos dein neuester Film. Was dürfen wir uns unter dem seltsamen Titel „Curryhuhn im Park" vorstellen?

Katja: *(lacht)* Tja, die Schlüsselszene spielt in einem Park, und auch das Curryhuhn hat eine wichtige Rolle!

Moderator: Kannst du uns kurz – und natürlich ohne zu viel zu verraten – etwas über die Handlung des Films erzählen?

Katja: Ich spiele eine junge Frau Ende zwanzig, die recht erfolgreich in ihrem Beruf ist, aber im Privatleben ständig Pech hat. Nachdem Nicole – so heißt sie – gerade wieder von einem Mann verlassen wurde, wird sie wirklich depressiv und beginnt, unendlich viel zu essen.

Moderator: Soweit ich weiß, war das auch dein Hauptproblem bei den Dreharbeiten. Du musstest in kurzer Zeit einige Kilo zu- und dann auch wieder abnehmen!

Katja: *(seufzt)* Richtig, es ist ein Wunder, dass ich das ohne größere Essstörungen überstanden habe! Da kommt wieder der Park ins Spiel, hier drehe ich nämlich jeden Tag meine Runden beim Jogging!
Also, zur Geschichte: Unsere junge Frau bestellt jeden Abend eine größere Mahlzeit beim Inder, meist mit Curryhuhn, die ihr auch jeden Abend von demselben netten jungen Inder namens Salim geliefert wird. Er versteht, dass diese Frau ein Problem hat, aber er hat nicht den Mut, sie zu fragen, obwohl sie ihm sehr gut gefällt. Bis zu einem Abend, an dem sie ihm weinend die Tür öffnet. Nun will er sie wirklich nicht mehr allein lassen und fragt sie, ob sie nicht ihr Curryhuhn mit ihm zusammen im Park vor dem Haus essen möchte, wo er auch gerade Pause machen wollte. Und schon sind wir im Park ...

Moderator: Das klingt ja wirklich sehr nett. Ich vermute aber, dass wir hier noch nicht beim Happy End gelandet sind?

Katja: *(lacht)* Natürlich nicht! Denn obwohl sich die beiden verlieben und Nicole bald jeden Tag im Park joggt, um wieder abzunehmen, hat ja auch Salim seine Schwierigkeiten. Eigentlich ist er ein hochqualifizierter Computerfachmann, der aber noch keine Stelle gefunden hat. Dabei kann Nicole ihm helfen, denn sie hat eine gute Stelle in einer IT-Firma. Dann jedoch wird Salims Mutter krank und er muss auf unbestimmte Zeit zurück nach Indien. Hier kommen die Klischees ins Spiel, die wir oft über andere Kulturen in uns tragen. Denn nur durch ein paar eigentlich lustig gemeinte Sätze von Freunden ist Nicole bald überzeugt, dass der wirkliche Grund von Salims Reise nach Indien eine arrangierte Hochzeit ist.

Moderator: Und mehr wird nicht verraten!

Katja: *(lacht)* Genau!

Moderator: Dein Filmpartner Noor Kalet ist indischer Herkunft, lebt aber seit seiner Kindheit in Berlin. Er spielt die Rolle sehr sensibel und absolut überzeugend. Wie war eure Zusammenarbeit bei den Dreharbeiten?

Katja: Noor ist ein toller Kollege, wir haben uns optimal ergänzt. Und wenn es doch einmal stressig oder schwierig wurde, hat er mit seinem wunderbaren Humor die Situation entspannt.

Moderator: Was will man mehr? Ein paar Szenen wurden auch in Indien gedreht. Was für eine Erfahrung war das für dich?

Katja: Das waren unglaublich starke Eindrücke. Leider waren die Drehtage so ausgefüllt, dass wir kaum Zeit hatten, etwas anzuschauen. Du landest nur irgendwann abends todmüde im Hotel und fällst ins Bett ... Aber Indien wird ganz sicher das Ziel meiner nächsten Urlaubsreise!

Moderator: Und wir freuen uns jetzt auf den Kinostart von „Curryhuhn im Park“ und sehen uns noch gemeinsam den Trailer an.

2 a) Lösung

1.	2.	3.	4.	5.	6.	7.	8.	9.	10.	11.	12.	13.	14.	15.
d)	m)	l)	k)	i)	o)	c)	b)	e)	a)	n)	h)	j)	f)	g)

1/26

2 b) Text und Lösung

1. Die Hauptrolle spielt eine junge Frau, die erfolgreich in ihrem Beruf ist, aber im Privatleben ständig Pech hat.
2. Nachdem Nicole von einem Mann verlassen wurde, wird sie depressiv und beginnt unendlich viel zu essen.
3. Jeden Abend bestellt sie ihr Essen in einem indischen Restaurant, meistens Curryhuhn, das von einem netten jungen Inder geliefert wird.
4. Salim, der Inder, versteht, dass Nicole ein Problem hat, aber er hat nicht den Mut, sie zu fragen.
5. An einem Abend öffnet sie ihm weinend die Tür und er möchte sie nicht allein lassen.
6. Da fragt er sie, ob sie nicht ihr Curryhuhn mit ihm zusammen im Park vor dem Haus essen möchte.
7. Die beiden verlieben sich und Nicole geht bald jeden Tag joggen im Park, um wieder abzunehmen.
8. Salim hat auch einige Schwierigkeiten, weil er eigentlich Computerfachmann ist, aber noch keine Stelle gefunden hat.
9. Dabei kann Nicole ihm helfen, denn sie hat eine gute Stelle in einer IT-Firma.
10. Dann wird Salims Mutter krank und er muss zurück nach Indien.
11. Nicole ist bald überzeugt, dass der wirkliche Grund für Salims Reise nach Indien eine arrangierte Hochzeit ist.

D. Übung 3: Filmszene aus *Curryhuhn im Park*

1/27

3 a) Hören Sie die kleine Filmszene und kreuzen Sie an: Was ist richtig, was ist falsch?

		richtig	falsch
1.	Salim fragt Nicole, was sie gerade macht.	☐	☒
2.	Nicole will nicht, dass Salim nach ihren Gefühlen fragt.	☐	☐
3.	Salim und Nicole haben sich schon gut kennengelernt.	☐	☐
4.	Salim soll Nicole das Curryhuhn geben und den Preis nennen.	☐	☐
5.	Salim will, dass Nicole ihm eine Gabel gibt, weil er im Park Pause machen will.	☐	☐
6.	Salim geht Nicole auf die Nerven und sie will, dass er verschwindet.	☐	☐
7.	Salim ist Nicoles Freund.	☐	☐
8.	Salim fragt Nicole, warum sie immer Curryhuhn bestellt.	☐	☐
9.	Nicole weint, weil ihr Freund gestorben ist.	☐	☐
10.	Nicole ist wütend, weil ihr Freund mit einer SMS ihre Beziehung beendet hat.	☐	☐
11.	Nicoles Freund hat Schluss gemacht, weil er momentan keine enge Beziehung will.	☐	☐
12.	Salim will Nicole nicht mehr zuhören, weil das Huhn kalt wird.	☐	☐

1/28

3 b) Die folgenden Sätze geben die Gefühle der Darsteller wieder. Hören Sie und schreiben Sie in die Lücken.

1. Nicole ist *traurig* und ___________, weil ihr Freund sie verlassen hat.
2. Salim ____________________________ _________ für Nicole, aber er hat nicht den _______, sie zu fragen, was los ist.
3. Eines Abends, als sie ihm _______________ die Tür öffnet, möchte er sie nicht ____________ ____________.
4. Sie ____________ ________ zuerst darüber und antwortet ihm, dass ihn ihr Leben ____________ ____________.
5. Salim will Nicole ____________________, mit ihm in den Park zu gehen.
6. Nicole __________ ________ von Salim _______________ und will, dass er schnell wieder __________________________.
7. Salim bietet Nicole seine _________________________ an.
8. Salim ist __________________ und _____________ _____________, warum Nicole immer Curryhuhn bestellt.
9. Curryhuhn ________________ Nicole an den letzten _____________________ Abend, den sie mit ihrem Freund verbracht hat.
10. Salim denkt, dass Nicoles Mann ___________________ ist und das ______ _______ sehr ________.
11. Nicole ist ________ ___________________ und _____________, weil ihr Freund die Beziehung einfach mit einer SMS beendet hat.
12. Salim versucht, Nicole zu ___________________ und sie aus ihren __________________ _________________ zu holen.

Jetzt sind Sie dran. Hören Sie 3b) noch einmal und sprechen Sie nach.

1/27

3 a) Text

Nicole: *(öffnet schniefend die Tür)* Hallo!

Salim: Hallo, Frau Jellinger, hier ist Ihr ... *(unterbricht sich)* Entschuldigen Sie bitte meine Frage, aber was ist denn mit Ihnen los?

Nicole: *(weinerlich)* Ich denke nicht, dass Sie das etwas angeht!

Salim: Natürlich nicht, aber ... Nein, eigentlich doch! Schauen Sie, ich bringe Ihnen jeden Abend Ihr Essen, und da lernt man sich doch ein bisschen kennen und fragt sich, warum geht eine hübsche junge Frau denn nicht raus und ...

Nicole: Hallo?! Will ich das alles jetzt wirklich hören? Geben Sie mir mein Huhn und sagen Sie mir, wie viel es kostet!

Salim: *(entschieden)* Nein, Sie holen sich jetzt eine Gabel und kommen mit mir runter in den Park. Ich wollte sowieso grad Pause machen. Draußen ist es warm und noch ein bisschen sonnig und ...

Nicole: *(verzweifelt)* Sie geben mir jetzt einfach mein Curryhuhn und dann verschwinden Sie!

Salim: *(unbeeindruckt)* Draußen scheint noch ein bisschen die Sonne. Und es ist warm. Und es schmeckt viel besser, wenn man mit einem Freund zusammen isst.

Nicole: *(lacht ein bisschen hysterisch)* Hach, jetzt sind wir also schon Freunde?

Salim: Klar! Ich bringe Ihr Essen, lade Sie ein in den Park und will Ihnen zuhören. Dann bin ich Ihr Freund.

Nicole: *(murmelt mehr zu sich selbst)* Ich fasse es nicht.

Salim: *(übergeht das)* Warum eigentlich immer Curryhuhn?

Nicole: *(schweigt einen Moment und beginnt ein bisschen zu schluchzen)* Das war bei unserem Lieblingsinder, so ein schöner Abend. Ich habe ein Curryhuhn gegessen und wir waren so glücklich.

Salim: *(betroffen)* Oh, ist Ihr Mann verstorben? Wie furchtbar!

Nicole: *(braust auf)* Verstorben? Ha! Eine SMS hat er mir geschickt, verstehen Sie? Einfach so! Seine Gefühle hätten sich verändert, und er bräuchte ein bisschen Zeit für sich selbst und eine Beziehung wäre ihm momentan zu eng! Männer! Es ist immer ...

Salim: *(ruhig und bestimmt)* Jetzt holen Sie mal Ihre Gabel, das Huhn wird kalt.

3 a) Lösung

		richtig	falsch
1.	Salim fragt Nicole, was sie gerade macht.	☐	☒
2.	Nicole will nicht, dass Salim nach ihren Gefühlen fragt.	☒	☐
3.	Salim und Nicole haben sich schon gut kennen gelernt.	☐	☒
4.	Salim soll Nicole das Curryhuhn geben und den Preis nennen.	☒	☐
5.	Salim will, dass Nicole ihm eine Gabel gibt, weil er im Park Pause machen will.	☐	☒
6.	Salim geht Nicole auf die Nerven und sie will, dass er verschwindet.	☒	☐
7.	Salim ist Nicoles Freund.	☐	☒
8.	Salim fragt Nicole, warum sie immer Curryhuhn bestellt.	☒	☐
9.	Nicole weint, weil ihr Freund gestorben ist.	☐	☒
10.	Nicole ist wütend, weil ihr Freund mit einer SMS ihre Beziehung beendet hat.	☒	☐
11.	Nicoles Freund hat Schluss gemacht, weil er momentan keine enge Beziehung will.	☒	☐
12.	Salim will Nicole nicht mehr zuhören, weil das Huhn kalt wird.	☐	☒

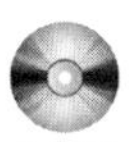
1/28

3 b) Text und Lösung

1. Nicole ist *traurig* und *weint*, weil ihr Freund sie verlassen hat.
2. Salim *interessiert sich* für Nicole, aber er hat nicht den *Mut*, sie zu fragen, was los ist.
3. Eines Abends, als sie ihm *weinend* die Tür öffnet, möchte er sie nicht *allein lassen.*
4. Sie *ärgert sich* zuerst darüber und antwortet ihm, dass ihn ihr Leben *nichts angeht.*
5. Salim will Nicole *überreden*, mit ihm in den Park zu gehen.
6. Nicole *fühlt sich* von Salim *genervt* und will, dass er schnell wieder *verschwindet.*
7. Salim bietet Nicole seine *Freundschaft* an.
8. Salim ist *neugierig* und *möchte wissen*, warum Nicole immer Curryhuhn bestellt.
9. Curryhuhn *erinnert* Nicole an den letzten *glücklichen* Abend, den sie mit ihrem Freund verbracht hat.
10. Salim denkt, dass Nicoles Mann *gestorben* ist und das *tut ihm* sehr *leid*.
11. Nicole ist *tief enttäuscht* und *wütend*, weil ihr Freund die Beziehung einfach mit einer SMS beendet hat.
12. Salim versucht, Nicole zu *beruhigen* und sie aus ihren *negativen Gefühlen* zu holen.

D. Übung 4: Schneechaos in den Alpen

1/29

4 a) Ende November gibt es einen massiven Wintereinbruch im Süden Deutschlands und in den Alpen. Die Nachrichtensprecherin Gritt Benson schaltet zu einem Journalisten, der einen Lagebericht aus einem betroffenen Dorf gibt. Hören Sie und ergänzen Sie die Lücken.

Gritt: In den letzten Tagen sind im Süden Deutschlands und in den Alpen Unmengen von *Schnee gefallen* und es ist kein Ende abzusehen. Unser Korrespondent Michael Wengert ist in einer _______ _______ ____________ ______________________________ Ortschaft in den Bergen und hat mit den Menschen dort gesprochen. Michael, können Sie mich hören?

Michael: Guten Abend, Gritt.
Ich stehe hier vor Ort in einem der _____ ____________________ _______________________ Gebiete, in dem Wintersportort Glennfall auf etwa 1200 Meter Höhe. Seit dem Schneesturm vor zwei Tagen sind hier _______ ________ __________ ____________________ gefallen. Zum Glück hat _____ __________ inzwischen _________________________, aber es schneit ständig weiter. Die Straßen zu dem Dorf sind ________________ und ich konnte ________ ________nur mit einem Helikopter __________________. Zahlreiche Urlauber ________ _____________________________ und haben keine Möglichkeit, in den nächsten Tagen nach Hause zu fahren. Zeitweise war sogar ______ ______________________________ ________________________, dieses Problem konnte aber inzwischen ___________ _____________.
Die Versorgungslage der Einwohner und ihrer Gäste ist schwierig. Die ______________________________________ müssen per Helikopter gebracht werden, wenn das Wetter es erlaubt. Dennoch ist die ________________ in den Hotels und Pensionen einigermaßen gut. Die Menschen helfen sich gegenseitig und versuchen, _________ ____ _________________.

Gritt: Vielen Dank, Michael Wengert. Kommen Sie gut wieder nach Hause!
Nun schalten wir noch zur A8, wo sich auf der Höhe von Regensburg _____ ________________ ____________ ________________ hat. Hier stecken die Menschen seit Stunden in ihren Autos fest. Hans Fischer, können Sie mich hören? Hans Fischer?
Meine Damen und Herren, wir haben hier leider ein _______________ _____ ______ _______________________ und können die Reportage momentan nicht senden. Soviel kann ich Ihnen aber schon berichten, dass sich die Lage allmählich entspannt. Die beiden Lastwagen, die _______ _______ ____________ ______________________ waren, konnten abtransportiert werden und auf wenigstens einer Fahrbahn kann wieder normaler Verkehr stattfinden, wenn auch sehr langsam. Einige Fahrzeuge sind jedoch noch

____________________________. ________________________ ____________
verteilen Decken und warme Getränke, ein paar ältere Autofahrer mussten mit Unterkühlung ______ __________________________ __________________
______________.
Auch die Flughäfen München und Innsbruck kämpfen mit der Wetterlage.
Viele ____________ __________________ ________________________ _____________
und unzählige Menschen warten auf ______________________
________________________________. Die Flugzeuge werden vom Eis befreit, aber solange es so stark weiterschneit, kann _______ _______________
_________________________ nicht wieder __________________________
_______________. Das waren die Nachrichten, kommen wir nun zur
_______________________________________.

1/30

4 b) Jetzt sind Sie dran. Antworten Sie auf die Fragen und hören Sie zur Kontrolle.

1. Warum ist der Ort von der Umwelt abgeschnitten? *Weil die Straßen gesperrt sind.*
2. Wie viel Schnee ist seit zwei Tagen gefallen?
   ____
3. Wie kann man den Ort erreichen?
   ____
4. Sind nur Einwohner in dem Ort?
   ____
5. Welches Problem konnte inzwischen gelöst werden?
   ____
6. Was machen die Menschen in den Hotels und Pensionen?
   ____
7. Was ist auf der A8 passiert?
   ____
8. Kann man jetzt auf der Straße wieder normal fahren?
   ____
9. Fahren alle Fahrzeuge wieder?
   ____
10. Was machen freiwillige Helfer?
   ____
11. Was ist auf den Flughäfen München und Innsbruck los?
   ____
12. Was geschieht mit den Flugzeugen?
   ____

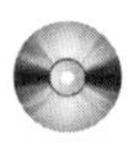

1/29

4 a) Text und Lösung

Gritt: In den letzten Tagen sind im Süden Deutschlands und in den Alpen Unmengen von *Schnee gefallen* und es ist kein Ende abzusehen. Unser Korrespondent Michael Wengert ist in einer *von der Umwelt abgeschnittenen* Ortschaft in den Bergen und hat mit den Menschen dort gesprochen. Michael, können Sie mich hören?

Michael: Guten Abend, Gritt.

Ich stehe hier vor Ort in einem der *am schwersten betroffenen* Gebiete, in dem Wintersportort Glennfall auf etwa 1200 Meter Höhe. Seit dem Schneesturm vor zwei Tagen sind hier *über zwei Meter Neuschnee* gefallen. Zum Glück hat *der Sturm* inzwischen *nachgelassen*, aber es schneit ständig weiter. Die Straßen zu dem Dorf sind *gesperrt* und ich konnte *den Ort* nur mit einem Helikopter *erreichen*.

Zahlreiche Urlauber *sind eingeschlossen* und haben keine Möglichkeit, in den nächsten Tagen nach Hause zu fahren. Zeitweise war sogar *die Stromversorgung unterbrochen*, dieses Problem konnte aber inzwischen *gelöst werden*.

Die Versorgungslage der Einwohner und ihrer Gäste ist schwierig. Die *Grundnahrungsmittel* müssen per Helikopter gebracht werden, wenn das Wetter es erlaubt.

Dennoch ist die *Stimmung* in den Hotels und Pensionen einigermaßen gut. Die Menschen helfen sich gegenseitig und versuchen, *Ruhe zu bewahren.*

Gritt: Vielen Dank, Michael Wengert. Kommen Sie gut wieder nach Hause!

Nun schalten wir noch zur A8, wo sich auf der Höhe von Regensburg *ein schwerer Unfall ereignet* hat. Hier stecken die Menschen seit Stunden in ihren Autos fest. Hans Fischer, können Sie mich hören? Hans Fischer? Meine Damen und Herren, wir haben hier leider ein *Problem mit der Übertragung* und können die Reportage momentan nicht senden. Soviel kann ich Ihnen aber schon berichten, dass sich die Lage allmählich entspannt. Die beiden Lastwagen, die *von der Straße abgekommen* waren, konnten abtransportiert werden und auf wenigstens einer Fahrbahn kann wieder normaler Verkehr stattfinden, wenn auch sehr langsam. Einige Fahrzeuge sind jedoch noch *liegengeblieben. Freiwillige Helfer* verteilen Decken und warme Getränke, ein paar ältere Autofahrer mussten mit Unterkühlung *ins Krankenhaus gebracht werden.*

Auch die Flughäfen München und Innsbruck kämpfen mit der Wetterlage. Viele *Flüge mussten gestrichen werden* und unzählige Menschen warten auf *verspätete Anschlussflüge.* Die Flugzeuge werden vom Eis befreit, aber solange es so stark weiterschneit kann *der normale Flugbetrieb* nicht wieder *aufgenommen werden.* Das waren die Nachrichten, kommen wir nun zur *Wettervorhersage.*

1/30

4 b) Jetzt sind Sie dran. Antworten Sie auf die Fragen und hören Sie zur Kontrolle.

1. Warum ist der Ort von der Umwelt abgeschnitten?

   Weil die Straßen gesperrt sind.

2. Wie viel Schnee ist seit zwei Tagen gefallen?

   Zwei Meter Neuschnee.

3. Wie kann man den Ort erreichen?

   Nur noch mit dem Helikopter.

4. Sind nur Einwohner in dem Ort?

   Nein, auch zahlreiche Urlauber sind eingeschlossen.

5. Welches Problem konnte inzwischen gelöst werden?

   Die Stromversorgung war zeitweise unterbrochen.

6. Was machen die Menschen in den Hotels und Pensionen?

   Sie helfen sich gegenseitig und versuchen Ruhe zu bewahren.

7. Was ist auf der A8 passiert?

   Dort hat sich ein Unfall ereignet.

8. Kann man jetzt auf der Straße wieder normal fahren?

   Ja, aber nur auf einer Fahrbahn und sehr langsam.

9. Fahren alle Fahrzeuge wieder?

   Nein, einige Fahrzeuge sind liegengeblieben.

10. Was machen freiwillige Helfer?

    Sie verteilen Decken und warme Getränke.

11. Was ist auf den Flughäfen München und Innsbruck los?

    Viele Flüge mussten gestrichen werden und unzählige Menschen warten auf verspätete Anschlussflüge.

12. Was geschieht mit den Flugzeugen?

    Sie werden vom Eis befreit.

E. Bildung & Beruf

E. Übung 1: Zukunftspläne

2/1

1 a) Jakob und Sabine sind gute Freunde. Sabine ist in der Oberstufe im Gymnasium und Jakob macht gerade an der Realschule seine Mittlere-Reife-Prüfung. In letzter Zeit unterhalten sie sich häufig darüber, wie es nach der Schule weitergehen soll. Hören Sie und kreuzen Sie an: Was ist richtig? Vorsicht, es kann auch mehr als eine Lösung richtig sein!

1. Jakob schreibt Prüfungen

   ☐ für die Fachoberschule.

   ☒ für die Mittlere Reife.

   ☐ für einen guten Durchschnitt.

2. Nach der Mittleren Reife will er weitermachen

   ☐ mit der Fachoberschule.

   ☐ mit den Prüfungen.

   ☐ mit einer Berufsausbildung.

3. Die Chancen mit Abitur sind besser,
   - ☐ wenn man noch nicht weiß, welche Berufsausbildung man machen will.
   - ☐ deshalb will Jakob mit der Fachoberschule weitermachen.
   - ☐ deshalb wollten Sabines Eltern, dass sie mit der Schule aufhört.

4. Sabine will nach dem Abitur ein Jahr ins Ausland gehen
   - ☐ und in einer Schule Spanisch lernen.
   - ☐ und in Chile in einem Kinderheim arbeiten.
   - ☐ und vielleicht als Au-pair-Mädchen in Südamerika arbeiten.

5. Sabine würde gern Medizin studieren,
   - ☐ weil das seit ihrer Kindheit ihr Traum ist.
   - ☐ obwohl das sehr lange dauert.
   - ☐ aber Pädagogik ist ihr noch lieber.

6. Jakob will vielleicht den Wirtschaftszweig nehmen,
   - ☐ obwohl ihm Wirtschaft eigentlich zu trocken ist.
   - ☐ aber der Kunstzweig würde ihn auch interessieren.
   - ☐ denn für den Kunstzweig ist er zu schlecht in Grafik und Design.

7. Jakob überlegt sich,
   - ☐ nach der Mittleren Reife ein Praktikum zu machen.
   - ☐ nach der Mittleren Reife ein Freiwilliges Soziales Jahr zu machen.
   - ☐ nach der Mittleren Reife ein Jahr Urlaub zu machen.

8. Jakob geht zur Berufsberatung,
   - ☐ wenn die Prüfungen vorbei sind.
   - ☐ obwohl er schon einmal dort war.
   - ☐ wenn er die Mittlere Reife nicht geschafft hat.

2/2

1 b) Jetzt sind Sie dran. Hören Sie und wiederholen Sie.

2/1

1 a) Text

Sabine: Und Jakob, wie geht's dir mit deinen Prüfungen?

Jakob: Es läuft eigentlich ganz gut. Nächste Woche noch zwei, dann habe ich es geschafft. Hoffentlich bekomme ich den Durchschnitt, den ich für die Fachoberschule brauche!

Sabine: Das heißt, du willst jetzt wirklich weitermachen nach der Mittleren Reife?

Jakob: Ja, auf jeden Fall. Ich weiß einfach noch nicht, was für ein Beruf der richtige für mich ist. Außerdem sind meine Chancen mit Abitur noch besser.

Sabine: Ja, das haben meine Eltern auch immer gesagt, wenn ich mit der Schule aufhören wollte. Wahrscheinlich haben sie ja recht. So kurz vor dem Ziel aufzugeben, wäre wirklich verrückt. In zwei Jahren habe ich's ja auch geschafft! Aber es ist schon hart.

Jakob: Das glaube ich dir. Was willst du denn nach dem Abitur machen?

Sabine: Am liebsten würde ich erst einmal ein Jahr ins Ausland gehen, entweder als Au-pair-Mädchen oder mit dem Programm „Work And Travel". Südamerika wäre toll, oder Australien ...

Jakob: Du hast doch auch Spanisch in der Schule, oder?

Sabine: Ja, letztes Jahr konnte ich endlich Latein ablegen und Spanisch nehmen. Eine Freundin meiner Schwester hat in Chile in einem Kinderheim gearbeitet, das war eine tolle Erfahrung für sie. Und wenn ich keinen Studienplatz für Medizin bekomme, überlege ich mir, vielleicht Pädagogik zu studieren.

Jakob: Das könnte ich mir auch gut für dich vorstellen. Medizin dauert so unglaublich lang! Erst wartest du, wenn du Pech hast, ein paar Jahre auf deinen Studienplatz, dann studierst du fünf oder sechs Jahre, dann die Doktorarbeit und die Assistenzzeit – du bist uralt, bis du fertig bist!

Sabine: Das stimmt schon, aber das ist mein Traum seit meiner Kindheit! Mal sehen ... Und du? Was kommt für dich in Frage? Du musst dich doch auf der Fachoberschule auch schon für einen Schwerpunkt entscheiden?

Jakob: Ja, ich überlege noch, ob ich den Kunstzweig nehmen soll oder den Wirtschaftszweig – beides würde mich interessieren. Mit dem Fachabitur in Wirtschaft könnte ich sicher eine kaufmännische Ausbildung in einer Firma machen und dann vielleicht noch BWL studieren, also Betriebswirtschaft.

Sabine: Puh, das klingt verdammt trocken!

Jakob: Ja, aber mir macht es Spaß! Auf der anderen Seite weiß ich, dass ich auch nicht schlecht bin in Grafik und Design. Das könnte ich mir auch gut vorstellen.

Sabine: Und wenn du erst mal nach der Mittleren Reife ein Praktikum machst?

Jakob: Das hatte ich mir sowieso schon überlegt. Ein Jahr Auszeit mit Praktika oder auch ein Freiwilliges Soziales Jahr – vielleicht weiß ich danach, was ich will!

Sabine: Warst du schon bei der Berufsberatung?

Jakob: Noch nicht. Jetzt muss ich erst einmal die Prüfungen gut schaffen, dann sehe ich weiter.

Sabine: Also, lern schön – ich drücke dir die Daumen!

Jakob: Danke! Und nächste Woche, wenn's vorbei ist, gehen wir feiern, ja?

Sabine: Klar!

1 a) Lösung

1. Jakob schreibt Prüfungen für die Mittlere Reife.
2. Nach der Mittleren Reife will er weitermachen mit der Fachoberschule.
3. Die Chancen mit Abitur sind besser, deshalb will Jakob mit der Fachoberschule weitermachen.
4. Sabine will nach dem Abitur ein Jahr ins Ausland gehen und vielleicht als Au-pair-Mädchen in Südamerika arbeiten.
5. Sabine würde gern Medizin studieren, weil das seit ihrer Kindheit ihr Traum ist.
   Sabine würde gern Medizin studieren, obwohl das sehr lange dauert.
6. Jakob will vielleicht den Wirtschaftszweig nehmen, aber der Kunstzweig würde ihn auch interessieren.
7. Jakob überlegt sich, nach der Mittleren Reife ein Praktikum zu machen.
   Jakob überlegt sich, nach der Mittleren Reife ein Freiwilliges Soziales Jahr zu machen.
8. Jakob geht zur Berufsberatung, wenn die Prüfungen vorbei sind.

2/2

1 b) Text

1. Ich schreibe gerade die Prüfungen für die Mittlere Reife.
2. Wenn ich alles gut bestanden habe, gehe ich auf die Fachoberschule.
3. Auf der Fachoberschule nehme ich den Wirtschaftszweig, denn dann habe ich das Fachabitur in Wirtschaft.
4. Zuerst aber nehme ich mir ein Jahr Auszeit und mache verschiedene Praktika.
5. Ich könnte eine kaufmännische Ausbildung in einer großen Firma machen und dann noch Betriebswirtschaft studieren.
6. Auf jeden Fall gehe ich nach meinen Prüfungen zur Berufsberatung.
7. Und was sind deine Pläne?
8. Ich habe in zwei Jahren mein Abitur und möchte dann für ein Jahr ins Ausland gehen.
9. Ich könnte vielleicht als Au-pair-Mädchen nach Südamerika gehen, denn ich lerne in der Schule Spanisch.
10. Hoffentlich bekomme ich einen Studienplatz für Medizin, denn das ist seit meiner Kindheit mein Traumberuf.
11. Ein Pädagogik-Studium könnte ich mir allerdings auch vorstellen, das dauert wenigstens nicht so lang.

E. Übung 2: Freiwillig und ehrenamtlich

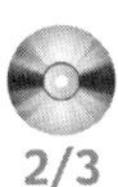
2/3

2 a) Hella macht in zwei Monaten Abitur und möchte dann ein freiwilliges soziales Jahr machen. Sie muss jedoch erst ihren Vater überzeugen, der möchte, dass sie gleich mit ihrem Studium beginnt. Hören Sie und ergänzen Sie die Lücken.

Vater: Na, Hella, hast du schon die Bewerbungen für deinen _______________ weggeschickt?

Hella: Nein, Papa, du weißt doch, dass ich erst ein _______________ _______________ _______ machen möchte.

Vater: Hängst du immer noch an dem ________? Du möchtest wirklich ein ganzes Jahr wegwerfen, in dem du noch nicht einmal etwas ___________, außer ein paar Euro _______________?

Hella: Bei den meisten Stellen sind _______________ und _______________ frei, da genügt mir ein Taschengeld absolut. Und ich kann in dieser Zeit eine ganze Menge _______________ sammeln! Endlich auch mal praktische Erfahrungen, nicht immer nur Theorie, Theorie, Theorie. Das kommt dann in der Uni wieder früh genug!

Vater: Und das mit den Erfahrungen kommt im _______________ früh genug! Hella, stell dir mal vor, du beginnst gleich mit deinem _______________ und schließt es gut ab. Dann bist du eine der jüngsten _______________ in der Stadt, wenn du bei mir in der Kanzlei anfängst!

Hella: Genau das ist es ja, Papa! Ich will mir darüber klar werden, ob ich wirklich Jura studieren möchte. Und dazu muss ich auch andere __________ kennenlernen, _______________ leisten oder etwas im kulturellen Bereich machen. Es gibt da so viele Möglichkeiten!

Vater: Sozialarbeit! Das schaffst du doch nie. Möchtest du dich wirklich den ganzen Tag um kranke, alte oder _______________ Menschen kümmern? Das will ich sehen!

Hella: Wann soll ich denn _______________, ob ich so etwas kann, wenn nicht jetzt? Ich muss doch _______________, wo meine Möglichkeiten und meine __________ liegen.

Vater: Aber du bist umso besser im _______________, wenn man in deinem _______________ sieht, dass du gleich nach der Schule studiert hast und keinen _______________ dazwischen hattest.

Hella: Papa, das war vielleicht früher so, aber heute ist das anders! Es wird von __________________ gern gesehen, wenn man sich __________________ und sogar __________________ etwas für die __________________ tut. Und auch, wenn man __________________ auf verschiedenen Gebieten hat. Außerdem ist das kein Leerlauf, man kann auch woanders etwas __________________ lernen, nicht nur in der Schule und an der Universität.

Vater: Na, ich sehe schon, mit dir kann man nicht __________________ reden. Mach doch, was du willst, du wirst schon sehen, was du davon hast. Aber __________________ dich später nicht, wenn du keine große Karriere machst!

Hella: Nein, nein, Papa, keine Sorge.

2 b) Wer sagt das, Hella oder ihr Vater?

		Hella	Vater
1.	In einem freiwilligen sozialen Jahr (FSJ) verdient man nichts, man bekommt nur ein Taschengeld.	☐	☒
2.	Das Taschengeld genügt, weil man nichts für Wohnen und Essen bezahlen muss.	☐	☐
3.	In einem FSJ kann man praktische Erfahrungen sammeln.	☐	☐
5.	Im Berufsleben kann man praktische Erfahrungen sammeln.	☐	☐
6.	In der Schule und an der Universität bekommt man fast nur theoretisches Wissen vermittelt.	☐	☐
7.	Wenn man gleich nach der Schule studiert, ist man noch sehr jung, wenn man mit seinem Berufsleben anfängt.	☐	☐
8.	Bevor man sich für ein Studium entscheiden kann, muss man auch andere Bereiche kennenlernen.	☐	☐
9.	In einem FSJ kann man Sozialarbeit machen oder im kulturellen Bereich arbeiten.	☐	☐
10.	In einem FSJ kann man sich selbst besser kennenlernen und seine Möglichkeiten und seine Grenzen entdecken.	☐	☐
11.	Für die Karriere ist es besser, wenn man ohne Pause gleich nach dem Schulabschluss seine Berufsausbildung macht.	☐	☐
12.	Für die Karriere ist es besser, wenn man soziales Engagement zeigt und etwas für die Gesellschaft tut.	☐	☐
13.	Man kann auch außerhalb von Schule und Universität etwas Sinnvolles lernen.	☐	☐

2/4

2 c) Jetzt sind Sie dran. Hören Sie und wiederholen Sie.

2/3

2 a) Text und Lösung

Vater: Na, Hella, hast du schon die *Bewerbungen* für deinen *Studienplatz* weggeschickt?

Hella: Nein, Papa, du weißt doch, dass ich erst ein *freiwilliges soziales Jahr* machen möchte.

Vater: Hängst du immer noch an dem *Unsinn*? Du möchtest wirklich ein ganzes Jahr wegwerfen, in dem du noch nicht einmal etwas *verdienst*, außer ein paar Euro *Taschengeld*?

Hella: Bei den meisten Stellen sind *Unterkunft* und *Verpflegung* frei, da genügt mir ein Taschengeld absolut. Und ich kann in dieser Zeit eine ganze Menge *Erfahrungen* sammeln! Endlich auch mal praktische Erfahrungen, nicht immer nur Theorie, Theorie, Theorie. Das kommt dann in der Uni wieder früh genug!

Vater: Und das mit den Erfahrungen kommt im *Berufsleben* früh genug! Hella, stell dir mal vor, du beginnst gleich mit deinem *Jurastudium* und schließt es gut ab. Dann bist du eine der jüngsten *Rechtsanwältinnen* in der Stadt, wenn du bei mir in der Kanzlei anfängst!

Hella: Genau das ist es ja, Papa! Ich will mir darüber klar werden, ob ich wirklich Jura studieren möchte. Und dazu muss ich auch andere *Bereiche* kennenlernen, *Sozialarbeit* leisten oder etwas im kulturellen Bereich machen. Es gibt da so viele Möglichkeiten!

Vater: Sozialarbeit! Das schaffst du doch nie. Möchtest du dich wirklich den ganzen Tag um kranke, alte oder *behinderte* Menschen kümmern? Das will ich sehen!

Hella: Wann soll ich denn *ausprobieren*, ob ich so etwas kann, wenn nicht jetzt? Ich muss doch *entdecken*, wo meine Möglichkeiten und meine *Grenzen* liegen.

Vater: Aber du bist umso besser im *Wettbewerb*, wenn man in deinem *Lebenslauf* sieht, dass du gleich nach der Schule studiert hast und keinen *Leerlauf* dazwischen hattest.

Hella: Papa, das war vielleicht früher so, aber heute ist das anders! Es wird von *Arbeitgebern* gern gesehen, wenn man sich *sozial engagiert* und sogar *ehrenamtlich* etwas für die *Gesellschaft* tut. Und auch, wenn man *Kenntnisse* auf verschiedenen Gebieten hat. Außerdem ist das kein Leerlauf, man kann auch woanders etwas *Sinnvolles* lernen, nicht nur in der Schule und an der Universität.

Vater: Na, ich sehe schon, mit dir kann man nicht *vernünftig* reden. Mach doch, was du willst, du wirst schon sehen, was du davon hast. Aber *beschwer* dich später nicht, wenn du keine große Karriere machst!

Hella: Nein, nein, Papa, keine Sorge.

2 b) Lösung

		Hella	Vater
1.	In einem freiwilligen sozialen Jahr verdient man nichts, man bekommt nur ein Taschengeld.	☐	☒
2.	Das Taschengeld genügt, weil man nichts für Wohnen und Essen bezahlen muss.	☒	☐
3.	In einem FSJ kann man praktische Erfahrungen sammeln.	☒	☐
5.	Im Berufsleben kann man praktische Erfahrungen sammeln.	☐	☒
6.	In der Schule und an der Universität bekommt man fast nur theoretisches Wissen vermittelt.	☒	☐
7.	Wenn man gleich nach der Schule studiert, ist man noch sehr jung, wenn man mit seinem Berufsleben anfängt.	☐	☒
8.	Bevor man sich für ein Studium entscheiden kann, muss man auch andere Bereiche kennenlernen.	☒	☐
9.	In einem FSJ kann man Sozialarbeit machen oder im kulturellen Bereich arbeiten.	☒	☐
10.	In einem FSJ kann man sich selbst besser kennenlernen und seine Möglichkeiten und seine Grenzen entdecken.	☒	☐
11.	Für die Karriere ist es besser, wenn man ohne Pause gleich nach dem Schulabschluss seine Berufsausbildung macht.	☐	☒
12.	Für die Karriere ist es besser, wenn man soziales Engagement zeigt und etwas für die Gesellschaft tut.	☒	☐
13.	Man kann auch außerhalb von Schule und Universität etwas Sinnvolles lernen.	☒	☐

2/4

2 c) Text

1. Meiner Meinung nach ist ein freiwilliges soziales Jahr eine gute Möglichkeit für Jugendliche, verschiedene Bereiche des Berufslebens kennenzulernen.
2. Man verdient zwar nicht viel, aber man bekommt immerhin ein Taschengeld.
3. Bei den meisten Stellen sind Unterkunft und Verpflegung frei, deshalb braucht man auch nicht viel Geld.
4. Ich denke, ein FSJ ist ideal, um praktische Erfahrungen zu sammeln, wenn man in der Schule immer nur die Theorie gelernt hat.
5. Natürlich ist es gut für die Karriere, wenn man früh in sein Berufsleben startet, dennoch sollte man auch einmal im Leben andere Bereiche kennenlernen und z. B. Sozialarbeit machen.
6. Wenn man ein FSJ macht, kann man seine Möglichkeiten und seine Grenzen entdecken und sich selbst besser kennenlernen.
7. Es ist auch gut für die Karriere, wenn im Lebenslauf steht, dass man sich sozial engagiert hat oder ehrenamtlich etwas für die Gesellschaft tut.
8. Eine Entscheidung für das FSJ kann genau so vernünftig sein wie die Entscheidung, gleich sein Studium zu beginnen.

E. Übung 3: Ein Personalchef im Interview

2/5

3 a) Eine Radiosendung aus der Reihe „Aktuelles aus dem Beruf" stellt heute den Alltag eines Personalchefs vor. Hören Sie das Interview und kreuzen Sie an: Richtig oder falsch?

	richtig	falsch
1. Wenn die Wirtschaft nicht so gut läuft, hat ein Personalchef nichts zu tun.	☐	☒
2. Menschen, die eine Arbeit suchen, hoffen auf ein Gespräch mit ihm, und Menschen, die gekündigt werden, haben Angst.	☐	☐
3. Wenn Angestellte etwas in der Firma verändern wollen, kündigen sie.	☐	☐
4. Meistens kündigen Angestellte, weil sie in eine andere Stadt ziehen oder ein besseres Angebot von einer anderen Firma bekommen haben.	☐	☐
5. Wenn das gute Mitarbeiter sind, versucht der Personalchef, ihnen ebenfalls ein gutes Angebot zu machen, damit sie bleiben.	☐	☐
6. Das sind oft sehr unangenehme Gespräche, weil beide Seiten kein Vertrauen haben.	☐	☐
7. Der Personalchef muss oft Leute kündigen, weil die Firma nicht genug Geld hat und weniger Personal braucht.	☐	☐
8. Wenn Angestellt gekündigt werden müssen, bekommen sie viel Geld, damit sie genügend Zeit haben, eine neue Arbeit zu finden.	☐	☐
9. Je länger sie bei der Firma gearbeitet haben, desto größer ist die Abfindungssumme.	☐	☐
10. Ein guter Personalchef kann bei einem Bewerbungsgespräch den Menschen, der eine Stelle sucht, schon gut beurteilen.	☐	☐
11. Wichtig ist, dass der Bewerber höflich ist und die Kleidung nicht zu groß oder zu klein ist.	☐	☐
12. Der Bewerber muss sich gut über die Firma und die Stelle, die er haben möchte, informiert haben.	☐	☐
13. Der Bewerber muss auch gut trainiert haben.	☐	☐
14. Am besten ist es, wenn der Bewerber natürlich wirkt und höflich und aufmerksam ist.	☐	☐

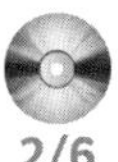
2/6

3 b) Was sagt der Personalchef im Interview? Hören Sie und schreiben Sie in die Lücken.

1. Meistens *kündigt* ein Angestellter bei seiner Firma, wenn er _______ ____________________ möchte.
2. Wenn es ein gutes und ____________________________________ Arbeitsverhältnis war, verläuft so ein Kündigungsgespräch _______________________ und beide Seiten __________________ die Kündigung.
3. Wenn ein wichtiger _________________________ zu einer anderen Firma gehen will, versucht der Personalchef der alten ___________, ein interessantes ______________ zu machen, damit er bleibt.
4. Wenn die finanzielle Lage einer Firma stabil ist, muss selten ________________ ____________________ werden.
5. Wenn ein Mitarbeiter lange bei der Firma gearbeitet hat und ___________________ werden muss, bekommt er eine ____________________.
6. ____ ______________ er bei der Firma war, ___________ _____________ ist die Abfindungssumme.
7. Bei einem ____ muss der Bewerber _______________ sein und passende Kleidung tragen.
8. Er muss sich gut über die Firma und die _________ ___________ ______________________ haben.
9. Der Personalchef möchte etwas über seine ______________________ und seine _________________________ wissen.
10. Am besten ist es, in einem Bewerbungsgespräch möglichst _______________________ zu sein.
11. Der ___________________ sollte von Anfang bis Ende des Gesprächs höflich und konzentriert dabei bleiben und zeigen, dass er sich _____ _________________________ hat.

Jetzt sind Sie dran. Hören Sie 3b) noch einmal und sprechen Sie nach.

2/5

3 a) Text

Moderatorin: Hier im Studio begrüße ich ganz herzlich Alfred Gellert, Personalchef einer großen Firma in der Gegend von Nürnberg. Guten Abend, Herr Gellert, schön, dass Sie zu uns gekommen sind.

Herr Gellert: Guten Abend, Frau Wiesner, und herzlichen Dank für die Einladung!

Moderatorin: Herr Gellert, in einer Zeit wirtschaftlicher Krisen kommt einem Mann in Ihrer Position eine wichtige Rolle zu. Menschen auf Arbeitssuche hoffen auf ein Gespräch mit Ihnen, Menschen, die nicht mehr in der Firma gehalten werden können, haben Angst vor einem Gespräch mit Ihnen. Können Sie unseren Hörerinnen und Hörern einen Einblick geben, wie solche Einstellungs- oder Kündigungsgespräche meist verlaufen?

Herr Gellert: Beginnen wir mit dem unangenehmeren Teil, den Kündigungsgesprächen. Es ist ja nicht immer so, dass von Seiten der Firma gekündigt wird. Genau so kommt es vor, dass Mitarbeiterinnen oder Mitarbeiter, die sich verändern wollen, mir ihre Kündigung geben. Zum Glück handelt es sich meist um ein gutes und vertrauensvolles Arbeitsverhältnis, sodass diese Gespräche harmonisch verlaufen und beide Seiten die Kündigung bedauern. Gründe für die Kündigung vonseiten der Mitarbeiter sind meist eine Veränderung der Wohnsituation oder ein besseres Angebot von einer anderen Firma. In letzterem Fall würde ich natürlich bei guten und wertvollen Mitarbeitern versuchen, sie zu halten und meinerseits ein interessantes Angebot zu machen.

Moderatorin: Kommt es häufig vor, dass Sie Angestellten kündigen müssen?

Herr Gellert: Natürlich passiert auch das, aber zum Glück ist die finanzielle Lage unserer Firma so stabil, dass wir selten Personal reduzieren müssen. Dann werden aus sozialen Gründen größere Abfindungssummen gezahlt, abhängig davon, wie lange der oder die Angestellte bei uns beschäftigt war.

Moderatorin: Sie müssen also selten Angestellten kündigen, weil Sie unzufrieden mit ihrer Arbeit waren. Denken Sie, dass der Grund dafür vielleicht auch in gut geführten Einstellungsgesprächen zu suchen ist? Können Sie einen Menschen, der sich um eine Stelle in Ihrer Firma bewirbt, im Verlauf des Bewerbungsgespräches schon richtig beurteilen und einschätzen?

Herr Gellert: Ja, ich denke, im Laufe der Jahre bekommt man ein gutes Gefühl für Menschen. Meine Aufgabe ist es, den Bewerber zu testen, zu befragen, zu beobachten, und auch, mit ihm über Einstellungsbedingungen zu verhandeln. Wichtig ist dabei natürlich Höflichkeit und gutes Benehmen, aber auch, ob die Kleidung einigermaßen passend ist, ob sich der Bewerber gut über unsere Firma informiert hat und ob er weiß, was die Stelle von ihm fordert. Ich möchte etwas über seine Motivation wissen und versuche, zu analysieren, wie realistisch der Bewerber seine Talente und Fähigkeiten einschätzt.

Moderatorin:	Erkennen Sie, wenn ein Bewerber gut trainiert in so ein Gespräch kommt?
Herr Gellert:	Sie meinen, wenn er sämtliche Ratgeber zum Thema „Wie verhalte ich mich im Bewerbungsgespräch" gelesen hat?
Moderatorin:	Richtig.
Herr Gellert:	Man kann meist erkennen, wie authentisch ein Mensch ist. Deshalb würde ich sagen, viel Training nützt nicht unbedingt auch viel. Besser ist es, von Anfang bis Ende des Gesprächs höflich und konzentriert zu bleiben und zu zeigen, dass man sich gut auf das Gespräch vorbereitet hat.
Moderatorin:	Herr Gellert, das waren sehr interessante Einblicke in den Arbeitsalltag eines Personalchefs. Ganz herzlichen Dank für Ihr Kommen!
Herr Gellert:	Sehr gern!

3 a) Lösung

		richtig	falsch
1.	Wenn die Wirtschaft nicht so gut läuft, hat ein Personalchef nichts zu tun.	☐	☒
2.	Menschen, die eine Arbeit suchen, hoffen auf ein Gespräch mit ihm, und Menschen, die gekündigt werden, haben Angst.	☒	☐
3.	Wenn Angestellte etwas in der Firma verändern wollen, kündigen sie.	☐	☒
4.	Meistens kündigen Angestellte, weil sie in eine andere Stadt ziehen oder ein besseres Angebot von einer anderen Firma bekommen haben.	☒	☐
5.	Wenn das gute Mitarbeiter sind, versucht der Personalchef, ihnen ebenfalls ein gutes Angebot zu machen, damit sie bleiben.	☒	☐
6.	Das sind oft sehr unangenehme Gespräche, weil beide Seiten kein Vertrauen haben.	☐	☒
7.	Der Personalchef muss oft Leute kündigen, weil die Firma nicht genug Geld hat und weniger Personal braucht.	☐	☒
8.	Wenn Angestellt gekündigt werden müssen, bekommen sie viel Geld, damit sie genügend Zeit haben, eine neue Arbeit zu finden.	☒	☐
9.	Je länger sie bei der Firma gearbeitet haben, desto größer ist die Abfindungssumme.	☒	☐
10.	Ein guter Personalchef kann bei einem Bewerbungsgespräch den Menschen, der eine Stelle sucht, schon gut beurteilen.	☒	☐
11.	Wichtig ist, dass der Bewerber höflich ist und die Kleidung nicht zu groß oder zu klein ist.	☐	☒
12.	Der Bewerber muss sich gut über die Firma und die Stelle, die er haben möchte, informiert haben.	☒	☐
13.	Der Bewerber muss auch gut trainiert haben.	☐	☒
14.	Am besten ist es, wenn der Bewerber natürlich wirkt und höflich und aufmerksam ist.	☒	☐

2/6

3 b) Text und Lösung

1. Meistens *kündigt* ein Angestellter bei seiner Firma, wenn er *sich verändern* möchte.
2. Wenn es ein gutes und *vertrauensvolles* Arbeitsverhältnis war, verläuft so ein Kündigungsgespräch *harmonisch* und beide Seiten *bedauern* die Kündigung.
3. Wenn ein wichtiger *Mitarbeiter* zu einer anderen Firma gehen will, versucht der Personalchef der alten *Firma*, ein interessantes *Angebot* zu machen, damit er bleibt.
4. Wenn die finanzielle Lage einer Firma stabil ist, muss selten *Personal reduziert* werden.
5. Wenn ein Mitarbeiter lange bei der Firma gearbeitet hat und *gekündigt* werden muss, bekommt er eine *Abfindung*.
6. *Je länger* er bei der Firma war, *desto größer* ist die Abfindungssumme.
7. Bei einem *Bewerbungsgespräch* muss der Bewerber *höflich* sein und passende Kleidung tragen.
8. Er muss sich gut über die Firma und die *neue Stelle informiert* haben.
9. Der Personalchef möchte etwas über seine *Motivation* und seine *Fähigkeiten* wissen.
10. Am besten ist es, in einem Bewerbungsgespräch möglichst *authentisch* zu sein.
11. Der *Bewerber* sollte von Anfang bis Ende des Gesprächs höflich und konzentriert dabei bleiben und zeigen, dass er sich *gut vorbereitet* hat.

F. Geld & Geschäfte

F. Übung 1: Warm und weich hat seinen Wert

2/7

1 a) Elsa ist auf der Suche nach einem warmen Winterpullover und entdeckt einen hübschen im Schaufenster einer kleinen Boutique. Hören Sie den Dialog und kreuzen Sie an: Was ist richtig?

1.
- ☐ Elsa möchte den Pullover aus dem Schaufenster probieren, aber den gibt es nur noch in Größe 38.
- ☒ In Größe 40 ist der Pullover Elsa leider zu weit.
- ☐ Elsa gefällt es, dass sie wie ein Bär aussieht.

2.
- ☐ Ein anderes Modell ist aus dünner Wolle und deshalb nicht so warm.
- ☐ Der Pullover kratzt, weil er so eng geschnitten ist.
- ☐ Elsas Haut ist sehr empfindlich, deshalb verträgt sie reine Wolle nicht.

3.
- ☐ Ein Pullover aus Kaschmirwolle, Seide und Schurwolle ist wunderbar weich.
- ☐ Die Farbe des Kaschmirpullovers findet Elsa sehr angenehm.
- ☐ Die Farbe Grün macht Elsa blass, weil sie grüne Augen hat.

4.
- ☐ Elsa hat Glück, weil der Pullover nur 185 Euro kostet.
- ☐ Der Pullover ist eine günstige Gelegenheit, weil er auf 153 Euro herabgesetzt wurde.
- ☐ Die Saison geht bald zu Ende, deshalb kostet der Pullover nur noch 135 Euro.

5.
- ☐ Elsa ist über den Preis erschrocken, weil sie nicht so viel ausgeben wollte.
- ☐ Elsa überrascht der Preis nicht, denn sie weiß, dass gute Qualität viel kostet.
- ☐ Elsa dachte, dass Kaschmir viel preiswerter ist.

6.
- ☐ Ein Pullover aus Wolle und Synthetik ist genauso angenehm wie ein Kaschmirpullover.
- ☐ Elsa macht es nichts aus, wenn der Pullover nach dem Waschen seine Form verändert, denn sie möchte an der Qualität sparen.
- ☐ Ein Pullover aus Naturmaterial ist am wärmsten.

7.
- ☐ Elsa soll sich den Pullover kaufen, weil sie sich doch jeden Tag so einen edlen Pullover kauft.
- ☐ Elsa soll den Pullover kaufen und an weniger wichtigen Dingen sparen.
- ☐ Elsa soll den Pullover kaufen, obwohl sie fünfzehn Pullover zu Hause hat.

8.
- ☐ Elsa kann mit Karte bezahlen, aber sie muss eine Zahnbürste dazu kaufen.
- ☐ Elsa hat den Verkäufer überzeugt, dass er ihre Geldkarte akzeptiert.
- ☐ Elsa möchte den Pullover nicht bar bezahlen.

2/8

1 b) Jetzt sind Sie dran. Welche Satzteile passen zusammen? Hören Sie zur Kontrolle und wiederholen Sie.

1. Ich habe in Ihrem Schaufenster einen hübschen Pullover gesehen,
2. In Größe 40 kommt er mir ein bisschen groß vor,
3. Dieser Pullover ist aus reiner Wolle,
4. Hier hätte ich einen Pullover aus Kaschmirwolle,
5. Ich glaube,
6. Könnten Sie im Lager nachsehen,
7. Der Preis wurde herabgesetzt,
8. Wenn Sie an der Qualität sparen möchten,
9. Bei einem billigeren Pullover kann es passieren,
10. Es gibt keinen Pullover,

a) deshalb kratzt er leider auf der Haut.
b) dass die Farbe mich blass macht.
c) müssen Sie einen Pullover mit Synthetik-Fasern kaufen.
d) den ich lieber anziehen würde als diesen Kaschmir-Pullover!
e) weil die Saison bald zu Ende geht.
f) den würde ich gern einmal anprobieren.
g) dass sich beim Waschen die Form verändert.
h) der etwas Seide und Schurwolle beigemischt ist.
i) ob es den Pullover noch in anderen Farben gibt?
j) aber ich probiere ihn mal an.

Tragen Sie hier die richtigen Lösungen ein:

1.	2.	3.	4.	5.	6.	7.	8.	9.	10.
f)									

2/7

1 a) Text

Elsa: Guten Morgen!

Verkäufer: Guten Morgen! Wie kann ich Ihnen helfen?

Elsa: Ich habe in Ihrem Schaufenster einen hübschen Pullover gesehen, den würde ich gerne mal anprobieren. Ist das möglich?

Verkäufer: Ja, selbstverständlich. Welche Größe haben Sie? 38?

Elsa: Ja, genau.

Verkäufer: Das tut mir jetzt leid, aber der ist nur noch in Größe 40 da. Möchten Sie ihn trotzdem probieren?

Elsa: Hm, der kommt mir ein bisschen groß vor, aber ich probiere ihn mal.
Darin sehe ich aus wie ein Bär! Nein, das geht gar nicht.

Verkäufer: Hm, ja, der ist einfach zu weit geschnitten. Dürfte ich Ihnen ein paar andere Modelle zeigen?

Elsa: Ja, gern, denn ich brauche dringend einen warmen Winterpullover.

Verkäufer: Hier hätte ich einen, der eng anliegt und aus reiner Wolle ist. Deshalb ist er sehr warm, obwohl er einem relativ dünn vorkommt.

Elsa: Oh ja, der ist hübsch! Aber nein, ich bin leider sehr empfindlich, und Wolle kratzt furchtbar auf der Haut. Das ertrage ich leider gar nicht!

Verkäufer: Ich verstehe. Dann sollten Sie vielleicht diesen hier probieren, der besteht zu 70 Prozent aus wunderbar weicher Kaschmirwolle, und dann ist noch Seide und Schurwolle beigemischt. Das ist wirklich purer Luxus auf der Haut.
Möchten Sie ihn anprobieren?

Elsa: Gern. Oh ja, der trägt sich unglaublich angenehm. Aber die Farbe – finden Sie nicht, dass dieses Beige mich blass macht?

Verkäufer: Ja, sie könnten eine frischere Farbe vertragen. Ich sehe mal im Lager nach, in welchen Farben wir dieses Modell noch da haben.
Hier, in Rot und in Grün. Zu Ihren grünen Augen könnte ich mir den grünen gut vorstellen!

Elsa: Ich liebe Grün! Lassen Sie mich doch den kurz probieren. Wunderschön! Aber ich vermute, diese Qualität hat auch ihren Preis, oder? Wie teuer ist er denn?

Verkäufer: Sie haben Glück, dieses Modell wurde von 185 auf 135 Euro heruntergesetzt, die Saison geht ja bald zu Ende. Das ist wirklich eine günstige Gelegenheit.

Elsa: So viel wollte ich eigentlich nicht ausgeben! Ich kann ja verstehen, dass man Kaschmir nicht geschenkt bekommt, aber …
Hätten Sie nicht vielleicht auch etwas Preiswerteres da?

Verkäufer: Tja, dieser Pullover ist eine Mischung aus Wolle und Synthetik-Fasern, der trägt sich sicherlich auch recht angenehm. Wenn Sie an der Qualität sparen möchten …

Elsa: Naja, „möchten" ist vielleicht nicht das richtige Wort dafür! Das ist schon ein deutlicher Unterschied. Er kommt mir auch nicht so warm vor.

Verkäufer: Natürlich wärmt die Synthetik-Faser nicht so gut wie Naturmaterial. Auch kann es passieren, dass sich beim Waschen die Passform etwas verändert. Dieses Problem haben Sie natürlich bei dem etwas teureren Pullover nicht. Der ist nach Jahren noch wie neu.

Elsa: Meinen Sie? Hm. Gefallen würde er mir ja schon sehr.

Verkäufer: So ein edles Stück kauft man sich ja auch nicht jeden Tag. Sie sollten es sich wert sein! Man spart ein bisschen an weniger wichtigen Dingen, und schon bemerkt man diese Ausgabe nicht mehr. Wie viele Pullover haben Sie in Ihrem Kleiderschrank? Zehn? Fünfzehn? Gibt es dabei einen, den Sie lieber anziehen würden als diesen Kaschmirpullover?

Elsa: Ich glaube, Sie könnten sogar einem Fisch eine Zahnbürste verkaufen! Aber Sie haben mich überzeugt, ich nehme den Pullover. Kann ich mit Karte bezahlen?

Verkäufer: Selbstverständlich, meine Dame!

1 a) Lösung

1. In Größe 40 ist der Pullover Elsa leider zu weit.
2. Elsas Haut ist sehr empfindlich, deshalb verträgt sie reine Wolle nicht.
3. Ein Pullover aus Kaschmirwolle, Seide und Schurwolle ist wunderbar weich.
4. Die Saison geht bald zu Ende, deshalb kostet der Pullover nur noch 135 Euro.
5. Elsa ist über den Preis erschrocken, weil sie nicht so viel ausgeben wollte.
6. Ein Pullover aus Naturmaterial ist am wärmsten.
7. Elsa soll den Pullover kaufen und an weniger wichtigen Dingen sparen.
8. Elsa möchte den Pullover nicht bar bezahlen.

2/8

1 b) Text und Lösung

1 f) Ich habe in Ihrem Schaufenster einen hübschen Pullover gesehen, den würde ich gern einmal anprobieren.

2 j) In Größe 40 kommt er mir ein bisschen groß vor, aber ich probiere ihn mal an.

3 a) Dieser Pullover ist aus reiner Wolle, deshalb kratzt er leider auf der Haut.

4 h) Hier hätte ich einen Pullover aus Kaschmirwolle, der etwas Seide und Schurwolle beigemischt ist.

5 b) Ich glaube, dass die Farbe mich blass macht.

6 i) Könnten Sie im Lager nachsehen, ob es den Pullover noch in anderen Farben gibt?

7 e) Der Preis wurde herabgesetzt, weil die Saison bald zu Ende geht.

8 c) Wenn Sie an der Qualität sparen möchten, müssen Sie einen Pullover mit Synthetik-Fasern kaufen.

9 g) Bei einem billigeren Pullover kann es passieren, dass sich beim Waschen die Form verändert.

10 d) Es gibt keinen Pullover, den ich lieber anziehen würde als diesen Kaschmir-Pullover!

F. Übung 2: Umtausch und Reklamation

2/9

2 a) Malte und Lisa arbeiten in einem Laden für Outdoor-Ausrüstung. Heute war ein schwieriger Tag, denn ständig gab es Beschwerden von Kunden. Am Abend gehen sie noch zusammen in eine Kneipe. Hören Sie und kreuzen Sie an: Was ist richtig, was ist falsch?

		richtig	**falsch**
1.	Ein Kunde wollte sein Gepäck umtauschen.	☐	☒
2.	Die Freundin des Kunden hatte Angst, dass das Zelt für ihr Gepäck zu klein ist.	☐	☐
3.	Man braucht für einen Umtausch unbedingt den Kassenzettel.	☐	☐
4.	Wenn man eine billigere Ware gegen eine teurere umtauscht, muss man die Differenz nachzahlen.	☐	☐
5.	Der Kunde hat sich beschwert, weil sein Zelt so schmutzig geworden ist.	☐	☐
6.	Das Zelt ist als wasserdicht empfohlen worden, aber nach einem Regen stand innen fünf Zentimeter hoch das Wasser.	☐	☐
7.	Dieser Kunde ist der erste, der mit dem Zelt nicht zufrieden war.	☐	☐
8.	Der Mann hat erzählt, dass er unter einem Wasserfall gezeltet hat.	☐	☐
9.	Der Chef hat das Zelt nicht zurückgenommen, weil es so schmutzig war.	☐	☐
10.	Der Kunde hat nicht alles zurückbekommen, weil er das Zelt eine Weile benützt hat.	☐	☐
11.	Das Zelt kann jetzt nicht mehr verkauft, sondern nur vorgeführt werden.	☐	☐
12.	Das Geschäft hat den Mann als Kunden verloren.	☐	☐

2/10

2 b) Jetzt sind Sie dran. Hören Sie und schreiben Sie die Antworten. Hören Sie dann noch einmal und antworten Sie auf die Fragen.

1. Warum wollte ein Kunde sein 2-Mann-Zelt gegen ein 4-Mann-Zelt umtauschen?

   Weil seine Freundin Angst hatte, dass ihr Gepäck nicht ins Zelt passt.

   ____

2. Konnte der Kunde das Zelt auch ohne den Kassenzettel umtauschen?

   ____

   ____

3. Was passiert, wenn ein Kunde ein billigeres gegen ein teureres Zelt umtauscht?

   ____

   ____

4. Warum reklamiert der andere Kunde sein Zelt?

   ____

   ____

5. In was für einem Zustand war das Zelt, als der Kunde die Reklamation hatte?

   ____

   ____

6. Wie hat der Chef das Problem gelöst?

   ____

   ____

   ____

2/9

2 a) Text

Malte: Puh, mir reicht's für heute! Dauernd irgendwelche Beschwerden! Was war denn da los?

Lisa: Bei mir ganz genauso! Ein komischer Tag. Aber lustig war der eine Typ, der sein 2-Mann-Zelt umtauschen wollte, weil seine Freundin Angst hatte, ihr ganzes Gepäck würde nicht ins Zelt passen!

Malte: Was, echt?

Lisa: Ja, es war ihm richtig peinlich. Und dann hatte er auch noch den Kassenzettel vergessen. Zuerst dachte ich, dass ich es deshalb nicht umtauschen kann, und habe den Chef gefragt. Der meinte, an der Verpackung kann man eindeutig erkennen, wo das Zelt gekauft worden ist. Und außerdem wollte der Kunde sowieso einen Umtausch und hat dann ein 4-Mann-Zelt genommen und den Differenz-Betrag noch nachgezahlt. Also, für uns ein gutes Geschäft!

Malte: Na, den Campingurlaub von den beiden würde ich ja gern mal beobachten!

Lisa: Da hat der gute Mann sicher kein einfaches Leben, wenn seine Freundin mit drei Koffern ins Zelt einzieht! Und bei dir? Was war bei dir los?

Malte: So ein Typ kam da an, mit einem völlig verdreckten Zelt. Er hat behauptet, wir hätten es ihm als absolut wasserdicht empfohlen, und in seinem Urlaub wäre nur nach einem kurzen Regenschauer das Wasser innen fünf Zentimeter hoch gestanden.

Lisa: Der spinnt doch!

Malte: Ja, das habe ich ihm etwas vorsichtiger auch gesagt. Aber er hat sich fürchterlich aufgeregt, wollte natürlich auch gleich den Chef sprechen und wollte sein Geld zurück. Was wirklich unglaublich ist, wenn man mit einem so schmutzigen Zelt ankommt!

Lisa: Ich glaub's nicht!

Malte: Was er nicht alles gesagt hat: Er sei absichtlich getäuscht worden und unsere Werbung würde viel mehr versprechen, als das Zelt tatsächlich wert sei. Und er hätte einen Anspruch darauf, das Zelt zurückzugeben.

Lisa: Das sind doch die Zelte von Ashwood, bisher waren doch alle Kunden mit denen zufrieden?

Malte: Ich weiß auch nicht, was der Mann mit dem Zelt gemacht hat. Wahrscheinlich hat er unter einem Wasserfall gezeltet! Aber unser Chef hat das Problem wirklich geschickt gelöst. Er ist freundlich und höflich geblieben. Dass das Zelt einen Mangel hat, darauf hat er sich nicht eingelassen, sondern hat gesagt, dass er einem unzufriedenen Kunden aus Kulanzgründen natürlich gerne entgegenkommen kann. Selbstverständlich werde er dem Kunden sein Geld zurückgeben, müsse aber eine gewisse Summe abziehen, da dieser ja das Zelt eine Zeitlang genutzt habe. Das heißt, er hat nach der Reinigung ein fast neuwertiges Zelt, was er als Vorführstück verkaufen kann und hat noch eine ordentliche Summe als „Nutzungsgebühr" bekommen.

Lisa: Nicht schlecht! Damit hat er ihn als Kunden sicherlich behalten!
Malte: Das glaube ich auch. Wobei ich persönlich gern auf solche Kunden verzichten würde ...

2 a) Lösung

		richtig	falsch
1.	Ein Kunde wollte sein Gepäck umtauschen.	☐	☒
2.	Die Freundin des Kunden hatte Angst, dass das Zelt für ihr Gepäck zu klein ist.	☒	☐
3.	Man braucht für einen Umtausch unbedingt den Kassenzettel.	☐	☒
4.	Wenn man eine billigere Ware gegen eine teurere umtauscht, muss man die Differenz nachzahlen.	☒	☐
5.	Der Kunde hat sich beschwert, weil sein Zelt so schmutzig geworden ist.	☐	☒
6.	Das Zelt ist als wasserdicht empfohlen worden, aber nach einem Regen stand innen fünf Zentimeter hoch das Wasser.	☒	☐
7.	Dieser Kunde ist der erste, der mit dem Zelt nicht zufrieden war.	☒	☐
8.	Der Mann hat erzählt, dass er unter einem Wasserfall gezeltet hat.	☐	☒
9.	Der Chef hat das Zelt nicht zurückgenommen, weil es so schmutzig war.	☐	☒
10.	Der Kunde hat nicht alles zurückbekommen, weil er das Zelt eine Weile benützt hat.	☒	☐
11.	Das Zelt kann jetzt nicht mehr verkauft, sondern nur vorgeführt werden.	☐	☒
12.	Das Geschäft hat den Mann als Kunden verloren.	☐	☒

2/10

2 b) Lösung

1. Warum wollte ein Kunde sein 2-Mann-Zelt gegen ein 4-Mann-Zelt umtauschen?
   Weil seine Freundin Angst hatte, dass ihr Gepäck nicht ins Zelt passt.
2. Konnte der Kunde das Zelt auch ohne den Kassenzettel umtauschen?
   Ja, weil man an der Verpackung erkennen konnte, wo das Zelt gekauft worden ist.
3. Was passiert, wenn ein Kunde ein billigeres gegen ein teureres Zelt umtauscht?
   Er muss den Differenzbetrag nachzahlen.
4. Warum reklamiert der andere Kunde sein Zelt?
   Weil es nicht wasserdicht war.
5. In was für einem Zustand war das Zelt, als der Kunde die Reklamation hatte?
   Das Zelt war sehr schmutzig.
6. Wie hat der Chef das Problem gelöst?
   Er hat dem Kunden das Geld zurückgegeben, aber eine Summe abgezogen, weil der Kunde das Zelt eine Zeitlang benutzt hat.

F. Übung 3: Ein neues Konto

2/11

3 a) Karla beginnt ihr Studium in Erlangen und möchte dort ein Konto eröffnen. Sie hat das noch nie gemacht und hat einige Fragen an den Bankangestellten Herrn Weinz. Hören Sie und ergänzen Sie die Lücken.

Karla: Guten Morgen!

Hr. Weinz: Guten Morgen! Womit kann ich Ihnen helfen?

Karla: Ich möchte ein Bankkonto *eröffnen*.

Hr. Weinz: Soll es ein ________________ sein, ein ________________, ein Festgeldkonto, ein Tagesgeldkonto?

Karla: Äh, wie bitte?

Hr. Weinz: Wofür brauchen Sie es denn?

Karla: Ich fange jetzt im Wintersemester mein Studium an und meine Eltern wollen mir jeden Monat das Geld für die __________ und die ____ ____________________.

Hr. Weinz: Aha! Ein Studentenkonto also. Keine ____ während der gesamten Studienzeit, ____________________ Geldkarten, gebührenfreier ________________________ ...

Karla: Entschuldigen Sie bitte, Herr ... Herr Weinz, das müssten Sie mir bitte alles etwas ________________________ und langsam ______________. Das ist nämlich mein erstes Konto, ich hatte noch nie eins. Also, was für ein Konto brauche ich?

Hr. Weinz: Ein Girokonto.

Karla: Und wie viel kostet das?

Hr. Weinz: Wie ich schon erwähnte, ist es kostenlos für Studenten.

Karla: Oh, das ist ja gut!

Hr. Weinz: Ja, und nicht nur das. Sie haben in jedem Fall eine ______________, wenn Sie möchten auch eine Maestro- oder eine Visa-Karte, und das ___________ Sie auch ___________!

Karla: Kosten die Karten normalerweise etwas?

Hr. Weinz: Aber selbstverständlich! Und – Sie haben ___________________________ Bargeldzugang!

Karla: Bitte?

Hr. Weinz: Wenn Sie vom ________________________ Geld holen möchten, also eine Summe von Ihrem Konto ______________ wollen, kostet Sie das bei unserer Bank nichts. Wenn Sie zu einem Geldautomaten bei einer anderen Bank gehen, müssen Sie ein paar Euro ________________ bezahlen.

Karla: Ah ja.

Hr. Weinz: Wie hoch sind Ihre monatlichen __________________?

Karla: Sie meinen, wie viel Geld mir meine Eltern ____________________?

Hr. Weinz: Ja!

Karla: Das sind ... warten Sie mal ... genau sind das ... im Monat ... 850 Euro!

Hr. Weinz: Könnten Sie darüber einen schriftlichen __________ beibringen?

Karla: Also, meine Eltern sollen Ihnen schreiben und das ____________________?

Hr. Weinz: Ja!

Karla: Ach so. Gut, ich sage es ihnen. Es kann übrigens noch etwas dazukommen, vielleicht bekomme ich hier in einem Café einen Job fürs Wochenende, dann ______________ ich noch ein bisschen dazu.

Hr. Weinz: Ich denke, Ihnen wird bei der vorliegenden ______________ ein ______________________ von 500 Euro im Monat gewährt, bei einem aktuellen ________________ von 11,5%.

Karla: Könnten Sie mir das bitte noch einmal erklären?

Hr. Weinz: Wenn Sie Ihr Konto ____________________ müssen ...

Karla: Also, wenn ich mehr ______________, als ich auf dem Konto habe?

Hr. Weinz: Richtig. Sie dürfen Ihr Konto bis zu einem __________ von 500 Euro überziehen. Das kostet Sie aber 11,5% ____________.

Karla: Na, ich hoffe, dass das nicht passieren wird! Was brauchen Sie jetzt noch von mir?

Hr. Weinz: Eigentlich nur Ihren ______________________________, und diese Formulare hier müssten Sie ausfüllen. Möchten Sie ____________ zum Online-Banking?

Karla: Wie funktioniert das denn?

Hr. Weinz: Sie ____________ sich an Ihrem PC ______, können den ____________________ einsehen und _________________________ tätigen.

Karla: Ach, das ist ja toll! Dann kann ich am Computer nachschauen, wie viel ich auf meinem Konto habe? Und kann auch gleich ______________________ bezahlen?

Hr. Weinz: Ja! Wir können Ihnen auch gleich einen ________________________ mit der ______________________ der Miete einrichten.

Karla: Damit das automatisch zum ________________________ an den Vermieter geht? Oh ja, das wäre gut.

Hr. Weinz: Gut, hier wäre dann noch eine _________________________ nötig ...

2/12

3 b) Jetzt sind Sie dran. Hören Sie und wiederholen Sie.

2/11

3 a) Text und Lösung

Karla: Guten Morgen!

Hr. Weinz: Guten Morgen! Womit kann ich Ihnen helfen?

Karla: Ich möchte ein Bankkonto *eröffnen*.

Hr. Weinz: Soll es ein *Sparkonto* sein, ein *Girokonto*, ein Festgeldkonto, ein Tagesgeldkonto?

Karla: Äh, wie bitte?

Hr. Weinz: Wofür brauchen Sie es denn?

Karla: Ich fange jetzt im Wintersemester mein Studium an und meine Eltern wollen mir jeden Monat das Geld für die *Miete* und die *Lebenshaltungskosten überweisen*.

Hr. Weinz: Aha! Ein Studentenkonto also. Keine *Kontoführungsgebühren* während der gesamten Studienzeit, *kostenlose* Geldkarten, gebührenfreier *Bargeldzugang* ...

Karla: Entschuldigen Sie bitte, Herr ... Herr Weinz, das müssten Sie mir bitte alles etwas *ausführlicher* und langsam *erklären*. Das ist nämlich mein erstes Konto, ich hatte noch nie eins. Also, was für ein Konto brauche ich?

Hr. Weinz: Ein Girokonto.

Karla: Und wie viel kostet das?

Hr. Weinz: Wie ich schon erwähnte, ist es kostenlos für Studenten.

Karla: Oh, das ist ja gut!

Hr. Weinz: Ja, und nicht nur das. Sie haben in jedem Fall eine *EC-Karte*, wenn Sie möchten auch eine Maestro- oder eine Visa-Karte, und das *kostet* Sie auch *nichts*!

Karla: Kosten die Karten normalerweise etwas?

Hr. Weinz: Aber selbstverständlich! Und – Sie haben *gebührenfreien* Bargeldzugang!

Karla: Bitte?

Hr. Weinz: Wenn Sie vom *Bankautomaten* Geld holen möchten, also eine Summe von Ihrem Konto *abheben* wollen, kostet Sie das bei unserer Bank nichts. Wenn Sie zu einem Geldautomaten bei einer anderen Bank gehen, müssen Sie ein paar Euro *Gebühren* bezahlen.

Karla: Ah ja.

Hr. Weinz: Wie hoch sind Ihre monatlichen *Einnahmen*?

Karla: Sie meinen, wie viel Geld mir meine Eltern *überweisen*?

Hr. Weinz: Ja!

Karla: Das sind ... warten Sie mal ... genau sind das ... im Monat ... 850 Euro!

Hr. Weinz: Könnten Sie darüber einen schriftlichen *Beleg* beibringen?

Karla: Also, meine Eltern sollen Ihnen schreiben und das *bestätigen*?

Hr. Weinz: Ja!

Karla: Ach so. Gut, ich sage es ihnen. Es kann übrigens noch etwas dazukommen, vielleicht bekomme ich hier in einem Café einen Job fürs Wochenende, dann *verdiene* ich noch ein bisschen dazu.

Hr. Weinz: Ich denke, Ihnen wird bei der vorliegenden *Bonität* ein *Dispokredit* von 500 Euro im Monat gewährt, bei einem aktuellen *Zinssatz* von 11,5%.

Karla: Könnten Sie mir das bitte noch einmal erklären?

Hr. Weinz: Wenn Sie Ihr Konto *überziehen* müssen ...

Karla: Also, wenn ich mehr *ausgebe*, als ich auf dem Konto habe?

Hr. Weinz: Richtig. Sie dürfen Ihr Konto bis zu einem *Minus* von 500 Euro überziehen. Das kostet Sie aber 11,5% *Zinsen*.

Karla: Na, ich hoffe, dass das nicht passieren wird! Was brauchen Sie jetzt noch von mir?

Hr. Weinz: Eigentlich nur Ihren *Personalausweis*, und diese Formulare hier müssten Sie ausfüllen. Möchten Sie *Zugang* zum Online-Banking?

Karla: Wie funktioniert das denn?

Hr. Weinz: Sie *loggen* sich an Ihrem PC *ein*, können den *Kontostand* einsehen und *Überweisungen* tätigen.

Karla: Ach, das ist ja toll! Dann kann ich am Computer nachschauen, wie viel ich auf meinem Konto habe? Und kann auch gleich *Rechnungen* bezahlen?

Hr. Weinz: Ja! Wir können Ihnen auch gleich einen *Dauerauftrag* mit der *Überweisung* der Miete einrichten.

Karla: Damit das automatisch zum *Monatsanfang* an den Vermieter geht? Oh ja, das wäre gut.

Hr. Weinz: Gut, hier wäre dann noch eine *Unterschrift* nötig ...

2/12

3 b) Text

1. Ich möchte bitte bei Ihrer Bank ein Girokonto eröffnen.
2. Muss ich dafür Kontoführungsgebühren zahlen?
3. Wie viel kostet eine EC-Karte pro Jahr?
4. Wie viel kostet es, wenn ich am Bankautomaten Geld abheben möchte?
5. Hier ist der Beleg über meine monatlichen Einnahmen.
6. Wie weit kann ich mein Konto überziehen?
7. Wie hoch ist der Zinssatz auf den Dispokredit?
8. Können Sie mir bitte Online-Banking einrichten?
9. Für die Überweisung der Miete würde ich gern einen Dauerauftrag einrichten.
10. Wo muss ich unterschreiben?

F. Übung 4: Immer nur Werbung im Radio!

2/13

4 a) Klaus möchte im Radio ein bisschen Musik hören, aber sobald er etwas gefunden hat, was ihm gefällt, wird wieder Werbung geschaltet. Hören Sie und kreuzen Sie an: Um was für Produkte handelt es sich?

1. „Kuchenmeisters Backmischung Superior"
   - ☐ ist ein Herd mit einem besonders guten Backofen.
   - ☒ ist ein Fertigprodukt, mit dem man sehr schnell einen Kuchen backen kann.

2. „High-Energy-Drops"
   - ☐ sind Bonbons, die einem neue Energie geben.
   - ☐ sind Schuhe, mit denen man besonders gut laufen kann.

3. „Wahlo"
   - ☐ verkauft Reisen in elegante Hotels.
   - ☐ verkauft elegante Möbel.

4. „Roadking"
   - ☐ verkauft schnelle Autos.
   - ☐ verkauft Werkzeug.

4 b) Was bedeuten die Wörter oder Wendungen? Kreuzen Sie an.

1. *Hand aufs Herz* bedeutet:
   - ☐ „Haben Sie Schmerzen?"
   - ☒ „Seien Sie ehrlich!"
   - ☐ „Es tut Ihnen leid, nicht wahr?"

2. Ein *Meisterwerk* ist
   - ☐ etwas, das besonders gut geworden ist.
   - ☐ etwas, das häufig hergestellt wird.
   - ☐ etwas, das nur ein Meister machen kann.

3. *Kinderleicht* ist
   - ☐ etwas, das so leicht ist wie ein Kind.
   - ☐ etwas, das so leicht ist, dass jedes Kind es machen könnte.
   - ☐ etwas, das für Erwachsene sehr schwierig ist.

4. Wenn man sich *ausgepowert* fühlt,
   - ☐ hat man noch nicht genug gearbeitet.
   - ☐ hat man viel Kraft und Macht.
   - ☐ hat man zu viel gemacht und keine Energie mehr.

5. Antriebslos ist jemand,
   - ☐ der keine Motivation fühlt, etwas zu tun.
   - ☐ der keinen Chef hat, der ihm sagt, was er tun soll.
   - ☐ dessen Automotor kaputt gegangen ist.

6. *Sich etwas auf der Zunge zergehen lassen* bedeutet
   - ☐ über etwas sprechen.
   - ☐ etwas genießen, weil man es nicht schnell kaut und schluckt.
   - ☐ etwas nicht essen dürfen.

7. *Außergewöhnlich* ist etwas,
   - ☐ an das ich mich nicht gewöhnen kann.
   - ☐ das man nicht zum Wohnen benutzen kann.
   - ☐ das nicht normal ist, sondern sehr speziell und besonders interessant.

8. *Höchstgeschwindigkeit* bedeutet,
   - ☐ wie schnell das Auto höchstens fahren kann.
   - ☐ wie lang das Auto höchstens fahren kann.
   - ☐ wie hoch das Auto fahren kann.

9. *Konsumwahnsinn* bedeutet,
   - ☐ dass es tolle Sachen zum Kaufen gibt.
   - ☐ dass es verrückt ist, wie sich alles aufs Kaufen konzentriert.
   - ☐ dass es verrückte Menschen gibt, die immer nur einkaufen.

2/13

4 a) Text

Werbung: Hand aufs Herz: Wann haben Sie Ihren Lieben das letzte Mal einen wohlschmeckenden Sonntagskuchen gebacken? Sie erinnern sich nicht mehr? Dann wird es höchste Zeit! Überraschen Sie Ihre Familie mit einem duftenden Meisterwerk auf Ihrem Kaffeetisch! Kinderleicht zu backen mit Kuchenmeisters Backmischung *Superior*! Kuchenmeisters Backmischungen gelingen immer! Wählen Sie aus: Kuchenmeisters Backmischung *Zitronentraum*, Kuchenmeisters Backmischung *Verführung au Chocolat* und ...

Klaus: Ist ja gut! Kann man hier vielleicht einfach mal Musik hören?

Werbung: Sie fühlen sich ausgepowert? Sie sind immer müde und antriebslos? Jeder Schritt fällt Ihnen schwer? Damit ist jetzt Schluss! Die „High-Energy-Drops" von der Firma *Rickler* bringen Ihren Schwung zurück! Einfach einen „High-Energy-Drop" auf Ihrer Zunge zergehen lassen, und schon fühlen Sie sich wie neugeboren! Starten Sie tatkräftig in den Tag! Mit *Ricklers* „High-Energy-Drops" werden Sie ...

Werbung: Formschöne Qualitätsmöbel geben Ihrer Wohnung erst die erlesene Atmosphäre von stilsicherem Geschmack und kultivierter Lebensart, die Sie brauchen. Schmiegen Sie sich in unsere exklusiven Ledersessel, lassen Sie ihren Blick auf dem außergewöhnlichen Design exotischer Regale ruhen und Sie wissen, was Ihrem Leben bisher fehlte. *Wahlo*. Wir lassen Ihre Träume Wirklichkeit werden ...

Klaus: Oh, das hält doch keiner aus! Ah, endlich, hier ist gute Musik!

Werbung: 265 PS bei 6700 Umdrehungen pro Minute. Von 0 auf 100 in 3,8 Sekunden bei einer Höchstgeschwindigkeit von 262 km/h. *Roadking* weiß, was Männer mögen. *Roadking*.

Klaus: Jetzt reicht's. Jetzt hole ich mir meinen MP3-Player. Meine Güte, überall dieser Konsumwahnsinn!

4 a) Lösung

1. „Kuchenmeisters Backmischung Superior" ist ein Fertigprodukt, mit dem man sehr schnell einen Kuchen backen kann.
2. „High-Energy-Drops" sind Bonbons, die einem neue Energie geben.
3. „Wahlo" verkauft elegante Möbel.
4. „Roadking" verkauft schnelle Autos.

4 b) Lösung

1. *Hand aufs Herz* bedeutet „Seien Sie ehrlich!"
2. Ein *Meisterwerk* ist etwas, das besonders gut geworden ist.
3. *Kinderleicht* ist etwas, das so leicht ist, dass jedes Kind es machen könnte.
4. Wenn man sich *ausgepowert* fühlt, hat man zu viel gemacht und keine Energie mehr.
5. *Antriebslos* ist jemand, der keine Motivation fühlt, etwas zu tun.
6. *Auf der Zunge zergehen lassen* heißt etwas genießen, weil man es nicht schnell kaut und schluckt.
7. *Außergewöhnlich* ist etwas, das nicht normal ist, sondern sehr speziell und besonders interessant.
8. *Höchstgeschwindigkeit* bedeutet, wie schnell das Auto höchstens fahren kann.
9. *Konsumwahnsinn* bedeutet, dass es verrückt ist, wie sich alles aufs Kaufen konzentriert.

G. Fremdes & Vertrautes

G. Übung 1: Bayram und Schultüte

2/14

1 a) Ein Themenabend im Radio setzt sich mit Brauchtum in Europa im Wandel der Zeit auseinander. Besonders interessant ist ein Interview mit Aksan Yldiz, der sich erinnert, wie er als Kind mit seinen Eltern nach Deutschland kam und plötzlich mit einer fremden Welt konfrontiert wurde. Hören Sie das Interview und kreuzen Sie an: Richtig oder falsch?

	richtig	falsch
1. Es dauerte für das Kind Aksan lange, bis er sich an die neue Umgebung gewöhnt hatte.	☐	☒
2. Er kann sich noch gut an seinen ersten Martinsumzug in seiner Kindergartenzeit erinnern.	☐	☐
3. Am Martinstag tragen die Kinder selbstgebastelte Laternen spazieren und singen Martinslieder.	☐	☐
4. Aksan hat seinen Wintermantel auseinandergeschnitten und die andere Hälfte einem Bettler geschenkt.	☐	☐
5. Aksans Eltern hatten sehr viel zu tun und konnten anfangs nicht gut Deutsch.	☐	☐
6. Aksan war enttäuscht, weil er weder zum Nikolaustag noch in der Adventszeit kleine Geschenke bekommen hat.	☐	☐
7. Aksans Eltern standen zwischen dem Wunsch der Kinder, dasselbe zu haben wie die deutschen Kindern, und ihrer türkischen Tradition.	☐	☐
8. Weil ihre Heimat so weit weg war, wollten sie die deutsche Lebensart völlig übernehmen.	☐	☐
9. Die Familie hat Weihnachten genauso wie die Deutschen gefeiert.	☐	☐

10. Zum Zuckerfest hat Aksan alle seine deutschen Freunde eingeladen. ☐ ☐

11. Nachdem das erste Weihnachten für Aksan so enttäuschend war, wollte seine Mutter ihm eine schöne Schultüte schenken. ☐ ☐

12. Auch in der Türkei bekommen die Kinder am ersten Schultag eine Tüte mit Süßigkeiten und kleinen Geschenken. ☐ ☐

13. Der Brauch mit den Schultüten geht zurück auf eine alte Geschichte vom Zuckertütenbaum. ☐ ☐

14. Eigentlich kommt diese Tradition aus Süddeutschland und Österreich. ☐ ☐

15. Aksan freut sich jedes Jahr auf das Oktoberfest, weil da so viel Bier getrunken wird. ☐ ☐

16. Aksan fährt jedes Jahr zum ersten Oktoberfestwochenende nach München und schaut sich den Trachtenumzug an. ☐ ☐

2/15

1 b) Jetzt sind Sie dran. Hören Sie und wiederholen Sie.

2/14

1 a) Text

Moderatorin: Herr Yldiz, Sie haben Ihre ersten Lebensjahre in der Türkei verbracht, sind aber noch im Kindergartenalter nach Deutschland gekommen. Sicherlich war für Sie als Kind vieles aufregend, neu und auch ein wenig beängstigend.

Herr Yldiz: Ja, das kann man so sagen! Anfangs habe ich kein Wort Deutsch verstanden, die deutschen Männer und Frauen verhielten sich anders, als ich es von türkischen Männern und Frauen gewohnt war, das Essen schmeckte fremd und so weiter. Zum Glück war ich ein sehr offenes Kind und lernte schnell, mich in der neuen Umgebung zurechtzufinden.

Moderatorin: Welche Rolle spielten dabei deutsche Feste oder Traditionen, die Sie damals als neu erlebt haben?

Herr Yldiz: Eine wichtige Rolle! Eine meiner ersten Erinnerungen geht zurück auf Sankt Martin, Mitte November. Im Kindergarten wurden Laternen gebastelt und Lieder geübt, die ich damals zwar nicht verstand, die mir aber gefielen. Und dann kam am Spätnachmittag des Martinstages, als es schon dunkel war, der Laternenumzug. Die Kinder durften die Kerzen in den Laternen anzünden, gingen in Zweierreihen durch den Park und sangen die Martinslieder. Und am Ende gab es sogar ein kleines Theaterstück, in dem die Szene nachgespielt wurde, wie Martin mit einem Bettler seinen Mantel teilt, indem er ihn auseinanderschneidet. Ich fand das damals ungemein beeindruckend und meine Mutter fürchtete schon, ich könnte das an meinem neuen Wintermantel ausprobieren wollen ...

Moderatorin: Und dann kam auch schon die Weihnachtszeit!

Herr Yldiz: ... und damit anfangs eine innerfamiliäre Katastrophe. Stellen Sie sich vor, ein Elternpaar, das hart arbeitet, den Alltag organisieren muss und die Kinder in Kindergarten und Schule unterstützen, und das alles in einer fremden Sprache! Und dann kommen diese Kinder und fragen enttäuscht, warum denn der Nikolaus am Morgen nichts in ihre Stiefel gesteckt hat, obwohl die so schön geputzt waren, und warum sie nicht vom ersten bis zum 24. Dezember jeden Tag ein Säckchen öffnen dürfen, mit einem kleinen Geschenk oder einer Süßigkeit darin, und so weiter. Aus der heutigen Perspektive gesehen hatten meine Eltern damals eine wirklich harte Zeit!

Moderatorin: Sie befanden sich sicherlich in dem Konflikt, ob sie ihre Identität aufgeben, wenn sie ihre Kinder an den christlichen Traditionen teilhaben lassen.

Herr Yldiz: Genau, das ist der Punkt. Und je weiter die Heimat entfernt ist, umso mehr hält man an seinen Gewohnheiten fest und verteidigt sie gegen fremde Einflüsse. Was natürlich nicht zu besserer Integration verhilft. Ein Teufelskreis, wie man hier so schön sagt.

Moderatorin: Wie haben Ihre Eltern schließlich diesen Konflikt gelöst?

Herr Yldiz: Mit einigen kleinen Kompromissen. So hatten wir auch einen kleinen Weihnachtsbaum, denn der bunte, glänzende Schmuck und das Licht in der dunklen Zeit haben auch meinen Eltern sehr gut gefallen. Und an den Feiertagen haben wir unsere eigene Familientradition entwickelt, wir haben gekocht, Freunde eingeladen und eigentlich auch ein bisschen gefeiert. Und dann haben uns die Eltern natürlich erklärt, dass auch wir unsere Feste haben, Bayram zum Beispiel. Da haben wir in der Schule dann unsere deutschen Freunde natürlich lautstark bedauert, dass sie nicht das tolle Zuckerfest feiern konnten ...

Moderatorin: Da waren sicher einige neidisch! Gibt es denn auch eine nichtchristliche Tradition, die Ihnen als fremd und spannend in Erinnerung geblieben ist?

Herr Yldiz: ... und als sehr angenehm! Ja, nach der ganzen Weihnachtstragödie hatte meine Mutter irgendwie das Gefühl, etwas wiedergutmachen zu müssen, und hat eifrig am Schultütenbasteln im Kindergarten teilgenommen. Das gibt es ja in der Türkei auch nicht, dass die Kinder zum ersten Schultag eine große bunte Tüte mit Süßigkeiten und kleinen Geschenken bekommen, die sogar oft selbstgemacht ist. Meines Wissens gibt es das auch nur im deutschsprachigen Raum.

Moderatorin: Richtig, diese Tradition geht zurück auf die Geschichte vom Zuckertütenbaum, der im Keller der Schule wächst. Es hieß, wenn die Kinder alt genug für die Schule sind, sind auch die Zuckertüten reif und können gepflückt werden. Der Lehrer schenkt dann jedem Kind an seinem ersten Schultag eine Zuckertüte. Heute haben das die Eltern übernommen. Seinen Ursprung hatte dieser Brauch im Osten Deutschlands und hat sich erst später im restlichen Deutschland durchgesetzt. In Österreich und in der Schweiz gehören die Schultüten auch nicht so unbedingt zum ersten Schultag wie in Deutschland.

Herr Yldiz: Ich muss gestehen, es berührt mich jedes Mal, wenn ich die kleinen Schulanfänger voller Stolz mit ihren riesigen Tüten sehe! Das ist ein schöner Brauch.

Moderatorin: Gibt es für Sie nun in Ihrem Erwachsenendasein eine deutsche Tradition, die Ihnen besonders gut gefällt? Etwas, worauf Sie sich jedes Jahr freuen?

Herr Yldiz: Es mag Sie erstaunen, aber – das Oktoberfest in München! Ich habe als Moslem natürlich kein Verständnis dafür, dass hier Unmengen von Bier getrunken werden, aber was mir so gut gefällt, ist der Trachtenumzug am ersten Wochenende. Da versuche ich jedes Jahr dabei zu sein, inzwischen auch mit meinen Kindern. Ein so buntes und vielfältiges Bild von Trachten, wunderbaren Pferdegespannen und lebendigem Brauchtum aus vielen Regionen Deutschlands sieht man selten.

Moderatorin: Leider sind wir jetzt schon am Ende unserer Sendezeit angelangt. Herzlichen Dank für das Gespräch, Herr Yldiz!

Herr Yldiz: Auch ich bedanke mich!

1 a) Lösung

	richtig	falsch
1. Es dauerte für das Kind Aksan lange, bis er sich an die neue Umgebung gewöhnt hatte.	☐	☒
2. Er kann sich noch gut an seinen ersten Martinsumzug in seiner Kindergartenzeit erinnern.	☒	☐
3. Am Martinstag tragen die Kinder selbstgebastelte Laternen spazieren und singen Martinslieder.	☒	☐
4. Aksan hat seinen Wintermantel auseinandergeschnitten und die andere Hälfte einem Bettler geschenkt.	☐	☒
5. Aksans Eltern hatten sehr viel zu tun und konnten anfangs nicht gut Deutsch.	☒	☐
6. Aksan war enttäuscht, weil er weder zum Nikolaustag noch in der Adventszeit kleine Geschenke bekommen hat.	☒	☐
7. Aksans Eltern standen zwischen dem Wunsch der Kinder, dasselbe zu haben wie die deutschen Kindern, und ihrer türkischen Tradition.	☒	☐
8. Weil ihre Heimat so weit weg war, wollten sie die deutsche Lebensart völlig übernehmen.	☐	☒
9. Die Familie hat Weihnachten genauso wie die Deutschen gefeiert.	☐	☒
10. Zum Zuckerfest hat Aksan alle seine deutschen Freunde eingeladen.	☐	☒
11. Nachdem das erste Weihnachten für Aksan so enttäuschend war, wollte seine Mutter ihm eine schöne Schultüte schenken.	☒	☐
12. Auch in der Türkei bekommen die Kinder am ersten Schultag eine Tüte mit Süßigkeiten und kleinen Geschenken.	☐	☒
13. Der Brauch mit den Schultüten geht zurück auf eine alte Geschichte vom Zuckertütenbaum.	☒	☐

14. Eigentlich kommt diese Tradition aus Süddeutschland und Österreich. ☐ ☒

15. Aksan freut sich jedes Jahr auf das Oktoberfest, weil da so viel Bier getrunken wird. ☐ ☒

16. Aksan fährt jedes Jahr zum ersten Oktoberfestwochenende nach München und schaut sich den Trachtenumzug an. ☒ ☐

2/15

1 b) Text

1. Alles war anders, als ich es gewohnt war, aber als Kind lernte ich schnell, mich in der neuen Umgebung zurechtzufinden.
2. Im Kindergarten habe ich zum ersten Mal einen Laternenumzug am Sankt-Martins-Tag erlebt.
3. Die Lichter in den Laternen, die Lieder und die Szene, wie Sankt Martin seinen Mantel mit dem Bettler teilt, fand ich sehr beeindruckend.
4. Unsere Eltern mussten hart arbeiten, den Alltag organisieren und die Kinder in Kindergarten und Schule unterstützen, und das alles in einer fremden Sprache!
5. Meine Eltern befanden sich in dem Konflikt, ob sie ihre Identität aufgeben, wenn sie ihre Kinder an christlichen Traditionen teilhaben lassen.
6. Je weiter die Heimat entfernt ist, umso mehr hält man an seinen Gewohnheiten fest und verteidigt sie gegen fremde Einflüsse.
7. Schließlich hatten wir auch einen kleinen Weihnachtsbaum, denn der Schmuck und das Licht in der dunklen Zeit haben auch meinen Eltern sehr gut gefallen.
8. In Deutschland bekommen die Kinder am ersten Schultag eine große bunte Tüte mit Süßigkeiten und kleinen Geschenken.
9. Seinen Ursprung hatte dieser Brauch im Osten Deutschlands und er hat sich erst später im restlichen Deutschland und teilweise auch in Österreich und in der Schweiz durchgesetzt.
10. Der Trachtenumzug am ersten Oktoberfestwochenende in München ist eine Tradition, die mir besonders gut gefällt.
11. Da kann man neben vielfältigen Trachten und wunderbaren Pferdegespannen noch ein Stück lebendiges Brauchtum aus vielen Regionen Deutschlands sehen.

G. Übung 2: Das schwierige Wort „Heimat"

2/16

2 a) Die Autorin Paula Kleber hat ein neues Buch geschrieben mit dem Titel „Auf der Suche nach Heimat", das für viel Diskussion gesorgt hat. Heute Abend hat der Moderator der Sendung „Lesestunde" die Autorin eingeladen, sich im Gespräch mit einem ihrer Kritiker auseinanderzusetzen, dem Autor Tilmann Kuhn, dessen Bücher in den 70er-Jahren zu den erfolgreichsten zählten. Hören Sie einmal, dann hören Sie noch einmal und kreuzen Sie an: Wer sagt was?

	Paula	Tilmann
1. Das Heimatgefühl ist ein existenzielles Gefühl des Menschen.	☐	☒
2. Die Heimat kann einem ein Gefühl von Wärme und Geborgenheit geben.	☐	☐
3. Heimat muss nicht der Ort sein, an dem man geboren ist.	☐	☐
4. Ein Ort, an dem man sich wohl fühlt, muss nicht unbedingt Heimat genannt werden.	☐	☐
5. Das Wort „Heimat" hat den Menschen in der Geschichte viel Krieg und Unglück gebracht.	☐	☐
6. Wenn ein Mensch sich dort nicht heimisch fühlt, wo er lebt, kann er weggehen und sich eine neue Heimat suchen.	☐	☐
7. Der moderne Mensch sollte sich an den Gedanken gewöhnen, überall zu Hause sein zu können.	☐	☐
8. Den meisten Menschen gelingt es nicht, einen idealen Ort zu finden, der für sie Heimat sein kann.	☐	☐
9. Meist wünscht sich ein Mensch, in seiner Heimat begraben zu sein, dort, wo er seine ideale Umwelt gefunden hat.	☐	☐

	Paula	Tilmann
10. „Heimat“ ist für viele Menschen ein Ort der Sehnsucht und nicht in der Realität zu finden.	☐	☐
11. Es gelingt nicht jedem, mit „Heimat“ ein völlig positives Gefühl zu verbinden.	☐	☐
12. In der heutigen globalen Welt ist Mobilität gefragt und es ist schwer, einen Ruhepunkt zu finden.	☐	☐
13. Die alten Strukturen, die den Menschen früher Halt gegeben haben, bedeuten heute nicht mehr viel.	☐	☐
14. Die Menschen von heute haben einen starken Wunsch nach Identifikation.	☐	☐

2/17

2 b) Jetzt sind Sie dran. Hören Sie, wiederholen Sie und hören Sie zur Kontrolle noch einmal.

2/16

2 a) Text

Tilmann: Guten Abend, Paula. Mutig, dass Sie der Einladung zu dieser Sendung gefolgt sind!

Paula: Danke, gleichfalls, Tilman, guten Abend. Schon sind wir mitten im Thema: Weshalb sollte es mutig sein, ein Buch zu einem Gefühl zu schreiben, das zu den grundlegenden Gefühlen des Menschen zählt? Jeder Mensch hat eine Sehnsucht nach Wärme und Geborgenheit, etwas, das einem in der Regel die Heimat geben kann.

Tilmann: Wer behauptet das? Der junge Künstler, der in dem Dorf, aus dem er kommt, nur Feinde hat, weil er experimentelle Kunst macht? Die junge Frau, mit der niemand mehr spricht, weil sie mit einer anderen Frau zusammenlebt?

Paula: Ich habe nie gesagt – oder geschrieben – dass die Heimat immer identisch sein muss mit dem Ort, an dem man geboren ist! Aber Sie beziehen sich gerade in Ihren Beispielen auf soziale Kontakte und sagen, Menschen sind unglücklich, wenn sie sich ausgeschlossen fühlen. Eigentlich geben Sie mir damit recht, wenn ich sage, dass jeder sich nach Wärme und Geborgenheit sehnt! Und was mache ich, wenn ich sie nicht dort finden kann, wo ich lebe? Ich gehe weg und suche nach dem Ort, der für mich Heimat sein kann.

Tilmann: Aber weshalb sagen Sie nicht einfach: Ein Ort, an dem ich mich wohl fühle? Warum gleich „Heimat“? Wie viel Krieg und Unglück hat dieses Wort in der Geschichte schon gebracht, wenn es zu übertriebenem Patriotismus führt. Wir leben in einer globalisierten Welt und der moderne Mensch sollte sich an den Gedanken gewöhnen, überall zu Hause sein zu können!

Paula: Und was denken Sie, wo dieser moderne Mensch einmal begraben sein möchte? Doch da, wo er sich „heimisch" fühlt, in seiner Heimat! Das kann dort sein, wo er herkommt, oder dort, wo es ihn hingezogen hat, weil er an diesem Ort eine für ihn ideale Umwelt gefunden hat.

Tilmann: Meiner Ansicht nach gelingt es den Menschen aber meist nicht, so einen Ort zu finden. Dann steht dieser gefühlsbeladene Begriff „Heimat" für den ewigen Ort der Sehnsucht, nie realistisch, weil er ja weit weg ist. Und was weit weg ist, scheint mir viel wunderbarer, als wenn ich es aus der Nähe sehe!

Paula: Da stimme ich Ihnen zu. Allerdings habe ich auch nie behauptet, dass es jedem glückt, seine Heimat zu finden oder ein völlig positives Gefühl damit zu verbinden. Im Gegenteil, es wird in unserer heutigen Welt sicherlich immer schwieriger, einen Ruhepunkt zu finden. Weltoffenheit ist gefordert, Mobilität, globales Denken – und die Entwicklung findet in einer rasanten Geschwindigkeit statt. Die alten Strukturen, die den Menschen früher Halt gegeben haben, verlieren heute immer mehr an Bedeutung: Die Familie, die Kirche, der Zusammenhalt der Menschen auf dem Land. Umso stärker ist der Wunsch vieler Menschen nach einer Möglichkeit der Identifikation.

Moderator: Tilmann, ich muss mich entschuldigen, aber unsere Sendezeit ist zu Ende. Somit hatte Paula Kleber heute Abend das letzte Wort und ich hoffe, dass wir unsere interessante Diskussion in einer unserer nächsten Sendungen fortsetzen können. Nun zu unserem nächsten Beitrag ...

2 a) Lösung

	Paula	Tilmann
1. Das Heimatgefühl ist ein existenzielles Gefühl des Menschen.	☒	☐
2. Die Heimat kann einem ein Gefühl von Wärme und Geborgenheit geben.	☒	☐
3. Heimat muss nicht der Ort sein, an dem man geboren ist.	☒	☐
4. Ein Ort, an dem man sich wohl fühlt, muss nicht unbedingt Heimat genannt werden.	☐	☒
5. Das Wort „Heimat" hat den Menschen in der Geschichte viel Krieg und Unglück gebracht.	☐	☒
6. Wenn ein Mensch sich dort nicht heimisch fühlt, wo er lebt, kann er weggehen und sich eine neue Heimat suchen.	☒	☐

	Paula	Tilmann
7. Der moderne Mensch sollte sich an den Gedanken gewöhnen, überall zu Hause sein zu können.	☐	☒
8. Den meisten Menschen gelingt es nicht, einen idealen Ort zu finden, der für sie Heimat sein kann.	☐	☒
9. Meist wünscht sich ein Mensch, in seiner Heimat begraben zu sein, dort, wo er seine ideale Umwelt gefunden hat.	☒	☐
10. Das Wort „Heimat“ ist für viele Menschen ein Ort der Sehnsucht und nicht in der Realität zu finden.	☐	☒
11. Es gelingt nicht jedem, mit „Heimat“ ein völlig positives Gefühl zu verbinden.	☒	☐
12. In der heutigen globalen Welt ist Mobilität gefragt und es ist schwer, einen Ruhepunkt zu finden.	☒	☐
13. Die alten Strukturen, die den Menschen früher Halt gegeben haben, bedeuten heute nicht mehr viel.	☒	☐
14. Die Menschen von heute haben einen starken Wunsch nach Identifikation.	☒	☐

2/17

2 b) Text

1. Paula Kleber schreibt in ihrem Buch, dass jeder Mensch eine Sehnsucht nach Wärme und Geborgenheit hat.
2. Sie denkt, dass die Heimat nicht immer identisch sein muss mit dem Ort, an dem man geboren ist.
3. Ihrer Meinung nach sind Menschen unglücklich, wenn sie sich von sozialen Kontakten ausgeschlossen fühlen.
4. Sie ist überzeugt, dass sich Menschen einen Ort suchen können, der für sie Heimat ist.
5. Allerdings gibt sie zu, dass es nicht jedem gelingt, ein völlig positives Gefühl mit dem Wort „Heimat“ zu verbinden.
6. Ihrer Ansicht nach wird es in der heutigen Welt immer schwieriger, einen Ruhepunkt zu finden.
7. Die Ursache liegt für sie im globalen Denken und dem Verschwinden der alten Strukturen, die den Menschen früher Halt gegeben haben.

G. Übung 3: Ein Lied und seine Quellen

2/18

3 a) Im „Verein zur Erforschung regionaltypischer Sagen" gibt es heute Abend einen Vortrag über die Loreley. Hören Sie und kreuzen Sie an: Was ist richtig?

		richtig
1.	„Loreley" heißt ein berühmtes Gedicht, das der deutsche Dichter Heinrich Heine geschrieben hat.	☒
2.	Es gibt zwei verschiedene Sagen, die von der Loreley handeln.	☐
3.	Loreley war die Frau eines Ritters, der seine Burg auf dem Loreley-Felsen am Rhein hatte.	☐
4.	Loreley wollte einen jungen Mann heiraten, der sie aber an ihrem Hochzeitstag verließ.	☐
5.	An ihrem Hochzeitstag stand Loreley auf dem Felsen und wartete auf das Schiff, das ihren Bräutigam bringen sollte.	☐
6.	Der Bräutigam kam nicht, weil er gestorben war.	☐
7.	Loreley war so traurig, dass sie sich vom Felsen in den Rhein stürzte.	☐
8.	Loreleys Vater zerstörte seine Burg und lässt bis heute die Schiffe untergehen, um seine Tochter zu rächen.	☐
9.	In der anderen Sage ist Loreley eine Undine, eine Wasserfrau.	☐
10.	Der junge Rheingraf verliebte sich in ihren Gesang und wollte zu ihr, dabei ging er im Rhein unter.	☐
11.	Der Vater wurde so wütend, dass er selbst versuchte, die singende Frau zu fangen.	☐
12.	Loreley wurde von den Männern des Rheingrafen gefangen.	☐
13.	Die Männer des Rheingrafen sahen, wie sich Loreley von ihrem Vater, dem Rhein, durch hohe Wellen holen ließ.	☐
14.	Loreley hatte den jungen Rheingrafen nicht getötet, sondern nur ein paar Tage im Rhein liegen lassen, damit seine heiße Liebe abkühlt.	☐
15.	Eigentlich ist der Rhein an dieser Stelle nicht gefährlich, weil er so tief ist.	☐
16.	Auch heute noch warnen Lichtsignale die Schiffe vor dieser engen und tiefen Stelle im Rhein.	☐

2/19

3 b) Jetzt sind Sie dran. Hören Sie, ergänzen Sie die Wörter, sprechen Sie und hören Sie zur Kontrolle.

1. „Loreley“ heißt ein G_____________, das der deutsche D_______________Heinrich Heine geschrieben hat.
2. Es geht zurück auf eine S_______ aus der G___________ des Mittelrheins.
3. Diese Sage gibt es in zwei v_____________________________Variationen.
4. Die eine Sage e_____________, dass Loreley die Tochter eines R____________ war, der seine B______ auf dem Loreley-F__________ hatte.
5. Aus e__________________________Liebe sp_________ sie am Tag ihrer Hochzeit vom Felsen in den Rhein, weil ihr B__________________ nicht gekommen war.
6. Seit der Zeit geht ihr G__________auf diesem Felsen um und s________ so wunderbar, dass die Männer auf den S_________________nicht aufpassen und ihre Schiffe u__________________.
7. Die andere Sage erzählt, dass Loreley eine W___________________ war.
8. Ein junger Rheingraf ist durch ihren wunderbaren G___________ in den Rhein gestürzt und ertrunken.
9. Sein Vater wollte die s________________ Frau f___________ lassen, tot oder l________________
10. Aber die Männer des Rheingrafen konnten sie nicht fangen, weil sie sich von ihrem Vater, dem Rhein, h_______ W__________ schicken ließ, die sie vom Felsen zurück ins W_____________tr__________.
11. Doch der Sohn des Rheingrafen war nicht ge_______________, sondern schon wieder gesund zu Hause.
12. Diese S__________ im Rhein ist eine der gef_______________________, weil sie so t________und e_____ ist.
13. Viele Schiffe sind dort u___________________________.

2/18

3 a) Text

Guten Abend, meine Damen und Herren! Heute wollen wir uns mit einer Sage aus der Gegend des Mittelrheins beschäftigen. Den meisten von Ihnen ist sie bekannt aus dem Gedicht, das der deutsche Dichter Heinrich Heine geschrieben hat, und das zu einem berühmten Volkslied wurde.

Doch auf welche Sage geht das Gedicht zurück?

Hier erkennen wir zwei Hauptquellen, die ich Ihnen kurz skizzieren möchte.

In der ersten Geschichte war Loreley ein junges schönes Mädchen, die Tochter eines Ritters, der seine Burg auf dem Felsen am Rhein hatte, der heute Loreley-Felsen heißt.

Ein junger Mann wollte sie heiraten. Sie verliebte sich in ihn und der Vater gab sein Jawort. Der Tag der Hochzeit kam näher, und der junge Mann fuhr mit einem Schiff den Rhein hinauf, um seine Burg für seine zukünftige Frau vorbereiten zu lassen.

Am Tag der Hochzeit stand Loreley wartend auf dem Felsen, wann denn das Schiff ihres Liebsten endlich käme. Doch auf keinem der Schiffe, die den Rhein hinunterfuhren, war ihr Bräutigam, da dieser inzwischen ein noch schöneres Mädchen gefunden hatte.

Nachts sah sie ein allerletztes Schiff auf dem Rhein, doch es war nur ein alter Fischer. Da riss sich Loreley weinend den Brautkranz aus dem Haar, warf ihn in den Rhein und stürzte sich hinterher.

Ihr alter Vater starb vor Kummer, ein Blitz zerstörte die Burg und Loreley geht seit damals auf dem Felsen als Geist um. Ihr wunderbarer Gesang bringt die Männer um ihren Verstand und lässt ihre Schiffe untergehen. So rächt sich Loreley an den treulosen Männern.
Ich kann nichts dafür – das erzählt uns die Sage!

Kommen wir zur zweiten Quelle des Volkslieds.

Demnach ist Loreley eine Undine, eine Wasserfrau, die mit den Ihren in den Wassern des Rheins lebt. Undinen sind launisch – aber nicht böse –, leichtsinnig und verspielt.

So war es damals geschehen, dass der einzige Sohn eines edlen Rheingrafen auf seinem Schiff sich dem Loreley-Felsen näherte und dort einen wunderbaren Gesang hörte. Er befahl seinen Schiffern immer näher zum Felsen hinzufahren. Sie warnten ihn, aber er wollte nicht hören. Schließlich sprang er ans Ufer, aber auf dem nassen Felsen rutschte er aus, stürzte ins Wasser und ging unter.

Die Schiffer brachten dem Vater die Nachricht vom Tod seines Sohnes, und der wurde so wütend, dass er befahl, die singende Frau tot oder lebendig gefangen zu nehmen.

Seinen Männern gelang es tatsächlich, Loreley auf ihrem Felsen zu überraschen. Sie saß da, goldgeschmückt, kämmte ihr langes goldenes Haar und sang wunderbar.

Plötzlich wurde sie umstellt von den Männern des Rheingrafen, doch sie erschrak nicht, sondern lächelte und fragte: „Was wollt ihr?" Der Anführer antwortete: „Wir werden dich fangen und dem Rheingrafen bringen. Du hast seinen Sohn getötet."

Loreley lachte laut, ging zum Rande des Felsens und rief nach ihrem Vater, dem Rhein, er solle seine Pferde schicken und sie holen.

Unten im Fluss erhoben sich zwei riesige weiße Wellen bis hoch zur Loreley. Sie setzte sich auf ihren Rücken und die Wellen trugen sie hinunter zum Rhein.

Als die Männer ihrem Grafen die Nachricht bringen wollten, dass Loreley keine gewöhnliche Frau, sondern eine Undine sei, fanden sie dort frisch und gesund den jungen Rheingrafen. Er war nicht gestorben, Loreley hatte ihn nur drei Tage auf dem Grunde des Rheins liegen lassen, um seine heiße Liebe ein wenig abzukühlen.

Dies sind die beiden Hauptlinien dieser Sage, die es in vielen verschiedenen Variationen gibt. Doch immer ist Loreley einmal die enttäuschte Liebende, die sich das Leben nimmt, und einmal die Undine, die mit den Herzen der Männer spielt.

Sicher ist nur eines: Der Teil des Mittelrheins um den Felsen ist einer der gefährlichsten des ganzen Rheins, weil er so tief und so eng ist. Bis heute werden hier die Schiffe durch Lichtsignale gewarnt.

3 a) Lösung, richtig sind:

1. „Loreley" heißt ein berühmtes Gedicht, das der deutsche Dichter Heinrich Heine geschrieben hat.
2. Es gibt zwei verschiedene Sagen, die von der Loreley handeln.
5. An ihrem Hochzeitstag stand Loreley auf dem Felsen und wartete auf das Schiff, das ihren Bräutigam bringen sollte.
7. Loreley war so traurig, dass sie sich vom Felsen in den Rhein stürzte.
9. In der anderen Sage ist Loreley eine Undine, eine Wasserfrau.
10. Der junge Rheingraf verliebte sich in ihren Gesang und wollte zu ihr, dabei ging er im Rhein unter.
13. Die Männer des Rheingrafen sahen, wie sich Loreley von ihrem Vater, dem Rhein, durch hohe Wellen holen ließ.
14. Loreley hatte den jungen Rheingrafen nicht getötet, sondern nur ein paar Tage im Rhein liegen lassen, damit seine heiße Liebe abkühlt.
16. Auch heute noch warnen Lichtsignale die Schiffe vor dieser engen und tiefen Stelle im Rhein.

2/19

3 b) Text und Lösung

1. „Loreley" heißt ein Gedicht, das der deutsche Dichter Heinrich Heine geschrieben hat.
2. Es geht zurück auf eine Sage aus der Gegend des Mittelrheins.
3. Diese Sage gibt es in zwei verschiedenen Variationen.
4. Die eine Sage erzählt, dass Loreley die Tochter eines Ritters war, der seine Burg auf dem Loreley-Felsen hatte.
5. Aus enttäuschter Liebe sprang sie am Tag ihrer Hochzeit vom Felsen in den Rhein, weil ihr Bräutigam nicht gekommen war.
6. Seit der Zeit geht ihr Geist auf diesem Felsen um und singt so wunderbar, dass die Männer auf den Schiffen nicht aufpassen und ihre Schiffe untergehen.
7. Die andere Sage erzählt, dass Loreley eine Wasserfrau war.
8. Ein junger Rheingraf ist durch ihren wunderbaren Gesang in den Rhein gestürzt und ertrunken.
9. Sein Vater wollte die singende Frau fangen lassen, tot oder lebendig.
10. Aber die Männer des Rheingrafen konnten sie nicht fangen, weil sie sich von ihrem Vater, dem Rhein, hohe Wellen schicken ließ, die sie vom Felsen zurück ins Wasser trugen.
11. Doch der Sohn des Rheingrafen war nicht gestorben, sondern schon wieder gesund zu Hause.
12. Diese Stelle im Rhein ist eine der gefährlichsten, weil sie so tief und eng ist.
13. Viele Schiffe sind dort untergegangen.

G. Übung 4: Stadtführung per Fahrrad

2/20

4 a) Sie machen eine zweistündige Stadtführung durch München auf dem Fahrrad mit. Durch einen Kopfhörer bekommen Sie die Erklärungen der Stadtführerin. Hören Sie und zeichnen Sie auf dem Plan die Strecke ein, die Sie fahren. Beim zweiten Hören zeichnen Sie die Sehenswürdigkeiten ein.

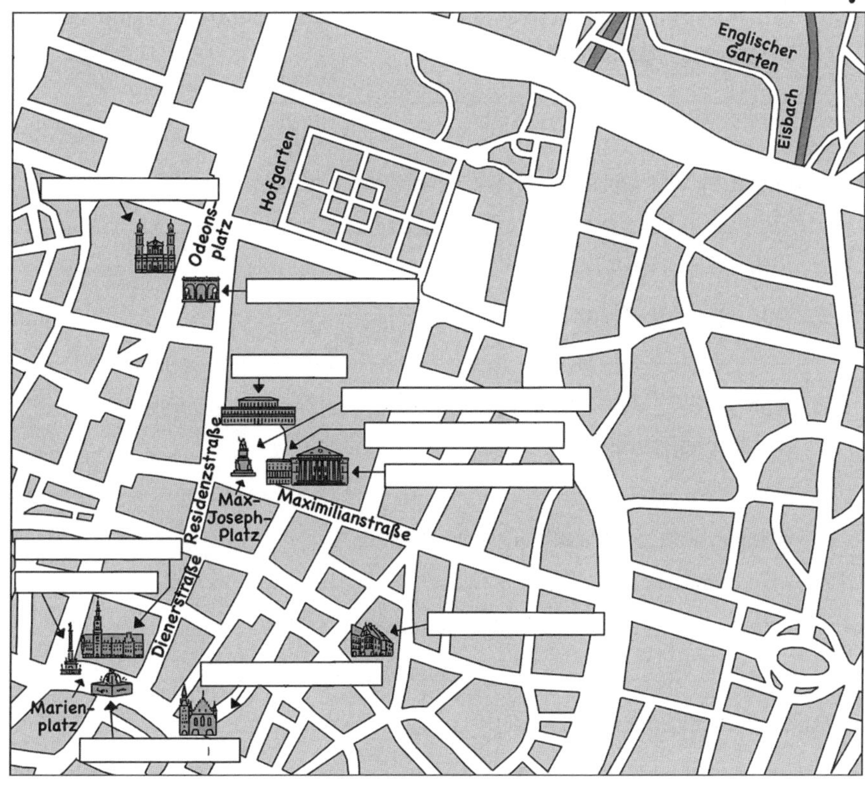

2/21

4 b) Jetzt sind Sie dran. Antworten Sie auf die Fragen und hören Sie zur Kontrolle.

1. Wann wurde das Neue Rathaus erbaut?
   Im 19. Jahrhundert.

2. Warum brauchte München ein Neues Rathaus?

3. Was ist im Neuen Rathaus zu finden?

4. Warum hat Kurfürst Maximilian I. die Mariensäule errichten lassen?

5. Was findet man in der Maximilianstraße?

6. Warum trägt der Platz vor dem Nationaltheater den Namen Max-Joseph-Platz?

7. Was machten die Münchner, als im Februar 1823 die Oper brannte und das Löschwasser gefroren war?

8. Wie stark war München im Zweiten Weltkrieg zerstört worden?

9. Was ist die Residenz?

10. Was passiert, wenn man die Löwenköpfe vor dem Durchgang zum Brunnenhof berührt?

11. Wann wurde die Theatinerkirche erbaut?

12. Was stand früher an der Stelle der Feldherrnhalle?

13. Was findet am Eisbach statt?

14. Was ist der Englische Garten?

2/20

4 a) Text

Hallo, grüß Gott und guten Tag! Ich heiße Sie herzlich willkommen zu unserer Stadttour durch München auf dem Fahrrad. Ich habe unseren Treffpunkt hier am Fischbrunnen auf dem Marienplatz gewählt, weil wir von hier aus einen guten Blick auf das Alte und das Neue Rathaus haben. Links vor uns sehen wir den großen prächtigen Bau des Neuen Rathauses aus dem 19. Jahrhundert. Ein Neues Rathaus musste erbaut werden, weil das Alte Rathaus, das wir hier rechts sehen, zu klein wurde. Heute sind der Oberbürgermeister und die Stadtverwaltung im Neuen Rathaus zu finden.
Mitten auf dem Marienplatz steht die Mariensäule. Ihre Entstehung geht zurück auf den Dreißigjährigen Krieg. Aus Dankbarkeit, weil München nicht zerstört worden war, hat Kurfürst Maximilian I. 1638 diese Säule für Maria, die Schutzpatronin von Bayern, errichten lassen.
So, jetzt fahren wir eine kleine Strecke mit unseren Rädern! Bitte folgen Sie mir hier in die Dienerstraße. Wir fahren hier geradeaus, bis wir an die Ecke zur Maximilianstraße kommen. Dort halten wir bitte wieder.
Die Maximilianstraße ist die teuerste Einkaufsstraße Münchens. Hier finden wir Geschäfte aller exklusiven Marken. Aber nicht nur das, auch ein Schwerpunkt der Theaterwelt ist hier. Vor uns liegt der Max-Joseph-Platz mit einem Denkmal von König Max I. Joseph, und dahinter das Nationaltheater, die Oper Münchens. Sie wurde 1818 eröffnet. Bereits fünf Jahre später ist die Oper abgebrannt. Es war Februar und das Löschwasser war gefroren. Was machten die Münchner? Sie versuchten, im nahe gelegenen Hofbräuhaus so viel Bier wie möglich zu bekommen, um den Brand zu löschen. Leider hat die Menge nicht ausgereicht, und die Oper ist dennoch abgebrannt und musste neu errichtet werden.
Links neben der Oper liegt das Residenztheater. Die Residenz wurde im Zweiten Weltkrieg zu 80 % zerstört, die historische Münchner Altstadt zu 90 % und das restliche München zu 50 %. Es ist fast ein kleines Wunder, dass es trotzdem gelungen ist, den ursprünglichen Charakter der Stadt zu erhalten.
Nun lassen Sie uns hier geradeaus weiterfahren, die Residenzstraße entlang. Am Odeonsplatz halten wir wieder an.
Hier rechts liegt die Residenz, das Stadtschloss der bayerischen Herrscher und das größte innerstädtische Schloss in ganz Deutschland. Da die Residenz über Jahrhunderte gewachsen ist, ist sie stilistisch eine Mischung aus Renaissance, Barock, Rokoko und Klassizismus. Die beiden Löwen, die vor dem Durchgang zum Brunnenhof stehen, bringen Ihnen Glück, wenn Sie die Köpfe auf dem Wappen berühren. Deshalb glänzen sie auch so wie poliert, weil jeder, der vorbeigeht, auf ein bisschen Glück hofft!
Gegenüber der Residenz steht die große gelbe Theatinerkirche. Sie wurde im 17. Jahrhundert erbaut, im Stil des Spätbarock. Viele Wittelsbacher sind dort begraben. Wenn wir vor der Theatinerkirche stehen, sehen wir links die Feldherrnhalle. Sie steht an der Stelle, an der früher das alte Schwabinger Stadttor stand. Als Ludwig I. die Stadt

erweitern und den Odeonsplatz gestalten ließ, wurde die Feldherrnhalle als Stadtgrenze nach Norden hin gebaut.

Lassen Sie uns jetzt links neben der Residenz durch den Hofgarten fahren. Richtung Norden kommen wir dann am Eisbach vorbei, wo an der Brücke zur Prinzregentenstraße junge Leute ihre Surfkünste ausprobieren. Die größte Attraktion ist es, die Surfer mitten im Winter zu beobachten!

Und schon sind wir im Englischen Garten, mit 3,75 Quadratkilometern eine der größten innerstädtischen Parkanlagen der Welt.

Hier werden wir uns im Biergarten am Chinesischen Turm von unserer Stadttour erholen. Auf geht's!

4 a) Lösung

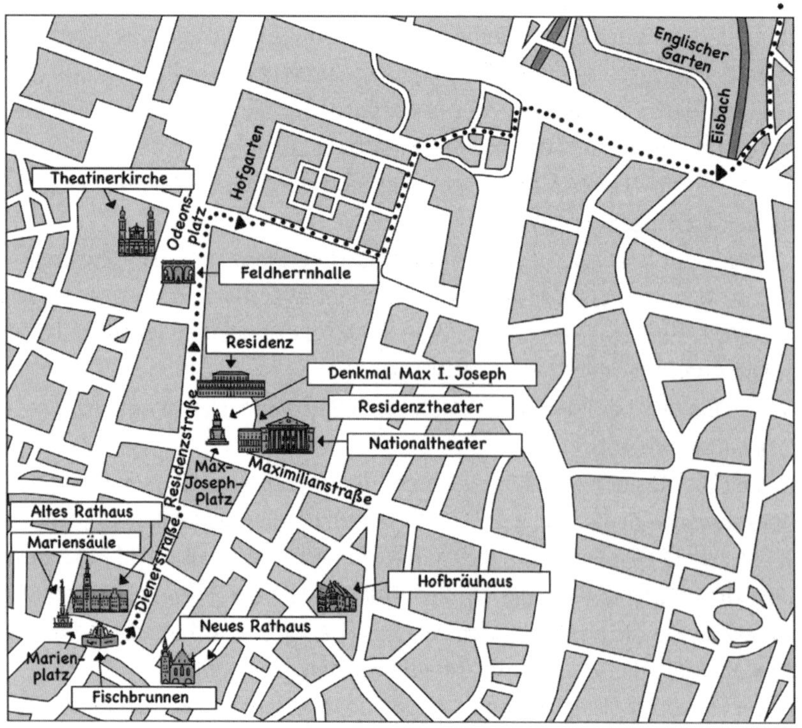

2/21

4 b) Lösung

1. Wann wurde das Neue Rathaus erbaut?
   Im 19. Jahrhundert.
2. Warum brauchte München ein Neues Rathaus?
   Weil das Alte Rathaus zu klein wurde.
3. Was ist im Neuen Rathaus zu finden?
   Im Neuen Rathaus sind der Oberbürgermeister und die Stadtverwaltung zu finden.
4. Warum hat Kurfürst Maximilian I. die Mariensäule errichten lassen?
   Aus Dankbarkeit, weil München im Dreißigjährigen Krieg nicht zerstört wurde.
5. Was findet man in der Maximiliansstraße?
   Sehr teure Geschäfte von exklusiven Marken.
6. Warum trägt der Platz vor dem Nationaltheater den Namen Max-Joseph-Platz?
   Weil hier ein Denkmal des Königs Max I. Joseph steht.
7. Was machten die Münchner, als im Februar 1823 die Oper brannte und das Löschwasser gefroren war?
   Sie versuchten, mit Bier aus dem nahegelegenen Hofbräuhaus zu löschen.
8. Wie stark war München im Zweiten Weltkrieg zerstört worden?
   Die historische Altstadt zu 90 % und das restliche München zu 50 %.
9. Was ist die Residenz?
   Das Stadtschloss der bayerischen Herrscher.
10. Was passiert, wenn man die Löwenköpfe vor dem Durchgang zum Brunnenhof berührt?
    Das bringt Glück.
11. Wann wurde die Theatinerkirche erbaut?
    Im 17. Jahrhundert.
12. Was stand früher an der Stelle der Feldherrnhalle?
    Das alte Schwabinger Stadttor.
13. Was findet am Eisbach statt?
    Hier probieren junge Leute an der Brücke zur Prinzregentenstraße ihre Surfkünste aus.
14. Was ist der Englische Garten?
    Eine der größten innerstädtischen Parkanlagen der Welt.

H. Medien & Meinung

H. Übung 1: Nutzen und Gefahren sozialer Netzwerke

2/22

1 a) Die beiden Freunde Tina und Max unterhalten sich über soziale Netzwerke. Sie haben unterschiedliche Meinungen. Hören Sie und kreuzen Sie an: Wer sagt was?

	Tina	Max
1. Ich möchte nicht, dass meine persönlichen Daten so in der Öffentlichkeit zu sehen sind.	☐	☒
2. Alles, was man im Internet macht, kann beobachtet und ausgewertet werden.	☐	☐
3. Man sollte nur Daten ins Internet stellen, die ruhig jeder lesen kann.	☐	☐
4. Es ist gut, wenn man hauptsächlich Werbung für Produkte bekommt, die einen auch wirklich interessieren.	☐	☐
5. Wenn man Kontakt mit Freunden haben möchte, kann man telefonieren, E-Mails oder SMS schreiben.	☐	☐
6. Es stört oft, wenn das Telefon klingelt.	☐	☐
7. In einem sozialen Netzwerk kann man erfahren, wie es jemandem geht, auch wenn er am anderen Ende der Welt wohnt.	☐	☐
8. Viele sind nur auf Facebook, um sich selbst darzustellen und der Welt zu zeigen, wie beliebt sie sind.	☐	☐
9. Wenn jemand Fotos von wilden Partys ins Netz stellt, kann er seiner beruflichen Karriere sehr schaden.	☐	☐
10. Besonders Kinder und Jugendliche haben oft nicht alle Informationen, wie man sich im Netz schützen kann.	☐	☐
11. Es ist sehr wichtig, dass schon Kinder in der Schule den richtigen Umgang mit sozialen Netzwerken lernen.	☐	☐
12. Dann sollte auch niemand mehr so unvorsichtig sein, Daten ins Netz zu stellen, die ihm schaden können.	☐	☐
13. Soziale Netzwerke bieten fantastische Möglichkeiten zu lernen, sich zu informieren und viele Leute zu erreichen.	☐	☐
14. Das kann allerdings auch missbraucht werden, deshalb braucht man Kontrollinstanzen und die entsprechenden Gesetze.	☐	☐

2/23

1 b) Jetzt sind Sie dran. Hören Sie und wiederholen Sie.

2/22

1 a) Text

Tina: Und du bist wirklich weder bei Facebook noch bei Myspace oder Twitter?

Max: Nein, ganz bestimmt nicht! Ich will mich nicht so in die Öffentlichkeit stellen. Wer da alles deine Daten sehen kann! Nein, danke.

Tina: Da gibt es doch genug Absicherungen. Außerdem setze ich nur Daten ins Internet, die ruhig jeder lesen kann.

Max: Aber du kannst dadurch gezielt von Firmen mit Werbung angeschrieben werden! Alles, was du im Internet machst, kann beobachtet und ausgewertet werden. Hast du dich nicht gewundert, warum du meistens Werbung für Artikel bekommst, die in irgendeinem Zusammenhang mit dir stehen?

Tina: Das ist mir schon klar! Aber genau das gefällt mir ja. Stell dir vor, du würdest ständig mit Werbung überschüttet, die dich überhaupt nicht interessiert. Da ist es doch viel sinnvoller, nur Werbung zu Produkten zu erhalten, die du dir vielleicht auch kaufst!

Max: Das brauche ich genauso wenig wie diese Unmengen von Werbung im Briefkasten. Ich finde das nur ärgerlich. Und glaubst du nicht, dass es genügt, zu telefonieren und E-Mails oder SMS zu schreiben, um mit deinen Freunden in Kontakt zu bleiben?

Tina: Es stört oft, wenn das Telefon klingelt. Da schreibe ich lieber eine SMS. Aber ich will mich ja gar nicht immer mit jemandem austauschen, manchmal will ich auch nur kurz sehen, wie es ihm geht oder etwas mitteilen, was ich gerade mache. Das ist so, als würdest du neben jemandem wohnen und kurz etwas über den Zaun rufen, ohne ein langes Gespräch führen zu wollen. Und dein Nachbar kann am anderen Ende der Welt wohnen. Findest du das nicht toll?

Max: Wenn ich mit jemandem Kontakt haben möchte, der weit weg wohnt, dann schreibe ich E-Mails oder wir skypen. Das funktioniert genauso gut. Ich denke, viele wollen eher sich selbst darstellen. Da ist dann die Anzahl der Freunde zum Beispiel auf Facebook eine Art Statussymbol: „Schaut alle her, wie viele Leute mich mögen oder toll finden!"

Tina: Du bist aber kritisch! Na und? Und wenn es so ist, wen stört das?

Max: Den meisten ist doch gar nicht klar, welche Chancen sie sich damit nehmen. All die jungen Leute, die irgendwelche Fotos von wilden Partys ins Netz stellen, denkst du, die werden noch zu Bewerbungsgesprächen eingeladen?

Tina: Entschuldige, aber das ist doch inzwischen so oft diskutiert worden. Wer das heute noch macht, ist selbst schuld. Und dann kann man dem Arbeitgeber nur gratulieren, der durch solche Fotos gewarnt wird. Außerdem ist es nicht so einfach, auf die Seiten zu kommen, wenn man nicht als Freund eingetragen ist. Dann muss die Seite schon öffentlich und für alle zugänglich sein. Und das ist wirklich dumm!

Max: Ich denke mal, dass nicht jeder von Anfang an alle Informationen hat, wie man sich schützen kann. Und erst recht nicht Kinder oder Jugendliche!

Tina: Das ist richtig, aber dann ist es eben wichtig, dass dieses Thema in den Schulen ausführlich besprochen wird. Einen sinnvollen Umgang mit den sozialen Netzwerken muss man auch erst lernen. Aber schau doch, was für fantastische Möglichkeiten das Netz bietet, etwas zu lernen und sich zu informieren. Wie viel ist gerade durch soziale Netzwerke schon politisch bewegt worden. Das kannst du nicht abstreiten.

Max: Natürlich, allerdings haben auch politische Aktivisten, die in einer Demokratie nicht gerne gesehen werden, diesen Zugang.

Tina: Jede Chance hat auch ihre Gefahren. Darauf muss natürlich der Gesetzgeber reagieren und es braucht Kontrollinstanzen. Aber du verbietest doch auch nicht Geldgeschäfte, nur weil es da auch Betrug geben kann! Wenn du dir vorstellst, …

1 a) Lösung

	Tina	**Max**
1. Ich möchte nicht, dass meine persönlichen Daten so in der Öffentlichkeit zu sehen sind.	☐	☒
2. Alles, was man im Internet macht, kann beobachtet und ausgewertet werden.	☐	☒
3. Man sollte nur Daten ins Internet stellen, die ruhig jeder lesen kann.	☒	☐
4. Es ist gut, wenn man hauptsächlich Werbung für Produkte bekommt, die einen auch wirklich interessieren.	☒	☐
5. Wenn man Kontakt mit Freunden haben möchte, kann man telefonieren, E-Mails oder SMS schreiben.	☐	☒
6. Es stört oft, wenn das Telefon klingelt.	☒	☐
7. In einem sozialen Netzwerk kann man erfahren, wie es jemandem geht, auch wenn er am anderen Ende der Welt wohnt.	☒	☐
8. Viele sind nur auf Facebook, um sich selbst darzustellen und der Welt zu zeigen, wie beliebt sie sind.	☐	☒
9. Wenn jemand Fotos von wilden Partys ins Netz stellt, kann er seiner beruflichen Karriere sehr schaden.	☐	☒
10. Besonders Kinder und Jugendliche haben oft nicht alle Informationen, wie man sich im Netz schützen kann.	☐	☒
11. Es ist sehr wichtig, dass schon Kinder in der Schule den richtigen Umgang mit sozialen Netzwerken lernen.	☒	☐

12. Dann sollte auch niemand mehr so unvorsichtig sein, Daten ins Netz zu stellen, die ihm schaden können. ☒ ☐
13. Soziale Netzwerke bieten fantastische Möglichkeiten zu lernen, sich zu informieren und viele Leute zu erreichen. ☒ ☐
14. Das kann allerdings auch missbraucht werden, deshalb braucht man Kontrollinstanzen und die entsprechenden Gesetze. ☒ ☐

2/23

1 b) Text

1. Es ist nicht gut, seine persönlichen Daten in sozialen Netzwerken öffentlich zu machen.
2. Andererseits ist es die Entscheidung des Benutzers, was er auf die Seiten stellt.
3. Man sollte nur Daten von sich öffentlich machen, die ruhig jeder lesen kann.
4. Alle Internetaktivitäten werden ausgewertet und für gezielte Werbung verwendet.
5. Allerdings ist es auch ein Vorteil, wenn man hauptsächlich Werbung bekommt, die einen wirklich interessiert.
6. Oft wollen sich die Benutzer von sozialen Netzwerken nur selbst darstellen und allen zeigen, wie beliebt sie sind.
7. Viele schaden ihrer beruflichen Karriere, wenn sie zum Beispiel Fotos von wilden Partys ins Netz stellen.
8. Allerdings ist es nicht so leicht, Zugang zu einer Seite zu bekommen, auf der man nicht als Freund eingetragen ist.
9. Wichtig ist es auf jeden Fall, Kindern und Jugendlichen den richtigen Umgang mit sozialen Netzwerken zu erklären.
10. Das Netz bietet viele Möglichkeiten, zu lernen und sich zu informieren.
11. Soziale Netzwerke haben auch politisch vieles bewegt, was natürlich sowohl Chance als auch Gefahr ist.

H. Übung 2: **Kinder am Computer**

2/24

2 a) Wie sollen Kinder den richtigen Umgang mit den modernen Medien lernen? Der Kinderpsychologe Dr. Gernot Frank hält zu diesem Thema einen kurzen Vortrag vor Eltern und Lehrern in einer Grundschule. Hören Sie und ergänzen Sie die Lücken.

Sehr *geehrte* Damen und Herren, zuerst einmal möchte ich mich herzlich für die ____________________ bedanken und freue mich über Ihr reges Interesse an diesem wichtigen ____________.

Aus unserer modernen Welt ist der Computer nicht mehr ___________________________.

Deshalb liegt es nahe, dass auch unsere Kinder schon sehr früh mit diesem Medium ___________________________ werden. Die _________________________________ unter den Eltern ist groß: Wie bereite ich mein Kind auf ein Leben mit dem Computer am besten vor? Ist es _________________, bereits das Kleinkind mit dem Computer vertraut zu machen, damit es im beruflichen ________________________ einen ___________________ bekommt? Oder nimmt seine Gesundheit _______________, wenn es zu früh vor dem ______________________ sitzt? Wie behalte ich die ____________________, wenn mein Kind besser und schneller mit den neuen Medien ______________ als ich selbst? Wie schütze ich es vor gefährlichen _________________?

Lassen Sie uns mit einem kleinen ____________________ beginnen, um der Situation ein wenig die ____________ zu nehmen. Erinnern Sie sich, wie ______________ schon immer ______________ diskutiert wurden. Oft wird das, was der älteren Generation noch nicht ____________ ist, als große __________ für die Jugend gesehen. Bereits 1800, als es für sehr viele Menschen möglich wurde, Bücher zu lesen, wurde die „______________" kritisiert. Sie sei eine Gefahr für die ______________ und ______________ Ordnung. Und die ________________ der Rockmusik in den 60er-Jahren? Für viele Eltern ein nicht zu tolerierender ____________. Zuletzt hat uns die rasante ________________ der Handys gezeigt: ______________sind wichtig und ______________, aber noch wichtiger ist es, ______________ zu entwickeln, wie man ____________ und ______________ mit Neuerungen umgehen kann.

Also, keine Panik! Behalten Sie in der Beurteilung von ______________ und ______________ einen klaren Kopf.

Am wichtigsten ist es, mit Ihren Kindern ________________. So, wie Sie sicherlich auch die neuen Freunde Ihres Kindes ________________ möchten, lassen Sie sich von ihm zeigen, was es im Computer gerne anschaut und ____________ findet. Lassen Sie sich zeigen, was Ihr Kind weiß und kann, Sie ______________ dadurch sicherlich nicht an ______________! Arbeiten Sie nicht mit ____________, sondern ____________ Sie Ihrem Kind, warum einige Spiele oder Seiten im Internet gut sind und andere nicht. Selbstverständlich sollten Sie auch mit ________________________ umgehen können, um Seiten __________ zu können, die nicht für Kinder und Jugendliche ____________ sind. Nach meinem Vortrag erhalten Sie ein ________________________ mit den entsprechenden ______________.

Der Computer __________ für Kinder und Jugendliche endlose Möglichkeiten, sich zu ________________, zu spielen, Neues zu ______________ und mit der

ganzen Welt in ______________ zu treten. Das ist sicherlich fantastisch, ________________________ und hilft beim Lernen, aber ____________ Sie darauf, dass die reale Welt mindestens ebenso spannend bleibt. Ihr Kind muss sich ______________, spielen, mit allen ____________ die Welt entdecken und mit Freunden ein soziales ________________________erlernen. Dass diese _____________ erhalten bleibt, ist Ihre Aufgabe!

Auch die Gesundheit Ihrer Kinder braucht _______________________ für Kopf und Augen, und das ist weder vor dem Fernseher noch vor dem Computer möglich. ___________________________, Rückenschmerzen und _______________________________ sind _______________________, die Sie beachten sollten.

Wie für die meisten Dinge im Leben ________ auch hier: ________________ist mehr!

Liebe Eltern, liebe Lehrerinnen und Lehrer, ich danke Ihnen für Ihre ______________________________!

2/25

2 b) Jetzt sind Sie dran. Hören Sie und wiederholen Sie.

2/24

2 a) Text und Lösung

Sehr *geehrte* Damen und Herren, zuerst einmal möchte ich mich herzlich für die *Einladung* bedanken und freue mich über Ihr reges Interesse an diesem wichtigen *Thema*.

Aus unserer modernen Welt ist der Computer nicht mehr *wegzudenken*. Deshalb liegt es nahe, dass auch unsere Kinder schon sehr früh mit diesem Medium *konfrontiert* werden. Die *Verunsicherung* unter den Eltern ist groß: Wie bereite ich mein Kind auf ein Leben mit dem Computer am besten vor? Ist es *sinnvoll*, bereits das Kleinkind mit dem Computer vertraut zu machen, damit es im beruflichen *Wettbewerb* einen *Vorsprung* bekommt? Oder nimmt seine Gesundheit *Schaden*, wenn es zu früh vor dem *Bildschirm* sitzt? Wie behalte ich die *Kontrolle*, wenn mein Kind besser und schneller mit den neuen Medien *umgeht* als ich selbst? Wie schütze ich es vor gefährlichen *Inhalten*?

Lassen Sie uns mit einem kleinen *Perspektivenwechsel* beginnen, um der Situation ein wenig die *Dramatik* zu nehmen. Erinnern Sie sich, wie *aufgeregt* schon immer *Neuerungen* diskutiert wurden. Oft wird das, was der älteren Generation noch nicht *vertraut* ist, als große *Gefahr* für die Jugend gesehen. Bereits 1800, als es für sehr viele Menschen möglich wurde, Bücher zu lesen, wurde die „*Lesesucht*" kritisiert. Sie sei eine Gefahr für die *politische* und *moralische* Ordnung. Und die *Entstehung* der Rockmusik in den 60er-Jahren? Für viele Eltern ein nicht zu tolerierender *Skandal*. Zuletzt hat uns die rasante *Verbreitung* der Handys gezeigt: *Warnungen* sind wichtig und *berechtigt*, aber noch wichtiger ist es, *Strategien* zu entwickeln, wie man *sinnvoll* und *konstruktiv* mit Neuerungen umgehen kann.

Also, keine Panik! Behalten Sie in der Beurteilung von *Vorteilen* und *Nachteilen* einen klaren Kopf.

Am wichtigsten ist es, mit Ihren Kindern *mitzulernen*. So, wie Sie sicherlich auch die neuen Freunde Ihres Kindes *kennenlernen* möchten, lassen Sie sich von ihm zeigen, was es im Computer gerne anschaut und *spannend* findet. Lassen Sie sich zeigen, was Ihr Kind weiß und kann, Sie *verlieren* dadurch sicherlich nicht an *Autorität*!

Arbeiten Sie nicht mit *Verboten*, sondern *erklären* Sie Ihrem Kind, warum einige Spiele oder Seiten im Internet gut sind und andere nicht. Selbstverständlich sollten Sie auch mit *Filterprogrammen* umgehen können, um Seiten *sperren* zu können, die nicht für Kinder und Jugendliche *geeignet* sind. Nach meinem Vortrag erhalten Sie ein *Informationsblatt* mit den entsprechenden *Hinweisen*.

Der Computer *bietet* für Kinder und Jugendliche endlose Möglichkeiten, sich zu *beschäftigen*, zu spielen, Neues zu *entdecken* und mit der ganzen Welt in *Kontakt* zu treten. Das ist sicherlich fantastisch, *unterhaltsam* und hilft beim Lernen, aber *achten* Sie darauf, dass die reale Welt mindestens ebenso spannend bleibt. Ihr Kind muss sich *bewegen*, spielen, mit allen *Sinnen* die Welt entdecken und mit Freunden ein soziales *Miteinander* erlernen. Dass diese *Balance* erhalten bleibt, ist Ihre Aufgabe!

Auch die Gesundheit Ihrer Kinder braucht *Entspannung* für Kopf und Augen, und das ist weder vor dem Fernseher noch vor dem Computer möglich. *Kopfschmerzen*, Rückenschmerzen und *Schlafstörungen* sind *Warnsignale*, die Sie beachten sollten.

Wie für die meisten Dinge im Leben *gilt* auch hier: *Weniger* ist mehr!

Liebe Eltern, liebe Lehrerinnen und Lehrer, ich danke Ihnen für Ihre *Aufmerksamkeit*!

2/25

2 b) Text

1. In unserer modernen Welt werden die Kinder schon sehr früh mit dem Medium Computer konfrontiert.
2. Das führt unter den Eltern häufig zu großer Verunsicherung darüber, wie viel Computer für ihre Kinder förderlich und gesund ist.
3. In der Geschichte war es schon oft so, dass Neuerungen aufgeregt diskutiert wurden.
4. Oft sieht die ältere Generation etwas, was ihnen selbst noch nicht vertraut ist, als Gefahr für die Jugend an.
5. Warnungen sind wichtig, aber noch wichtiger ist es, Strategien für einen sinnvollen Umgang mit den neuen Medien zu entwickeln.
6. Für die Eltern ist es wichtig, mit dem Kind am Computer mitzulernen.
7. Die Eltern sollten auch alles kennenlernen, womit das Kind sich beschäftigt.
8. Die Eltern sollten keine Angst haben, dass sie Autorität verlieren, wenn sie einmal etwas von ihren Kindern lernen.
9. Die reale Welt muss für die Kinder genauso spannend bleiben wie die Computerwelt.
10. Ein Kind muss mit allen Sinnen die Welt entdecken und mit Freunden ein soziales Miteinander erlernen.
11. Kopf und Augen des Kindes brauchen Entspannung, also genug computer- und fernsehfreie Zeit.
12. Kopfschmerzen, Rückenschmerzen und Schlafstörungen sind Warnsignale, die man beachten sollte.

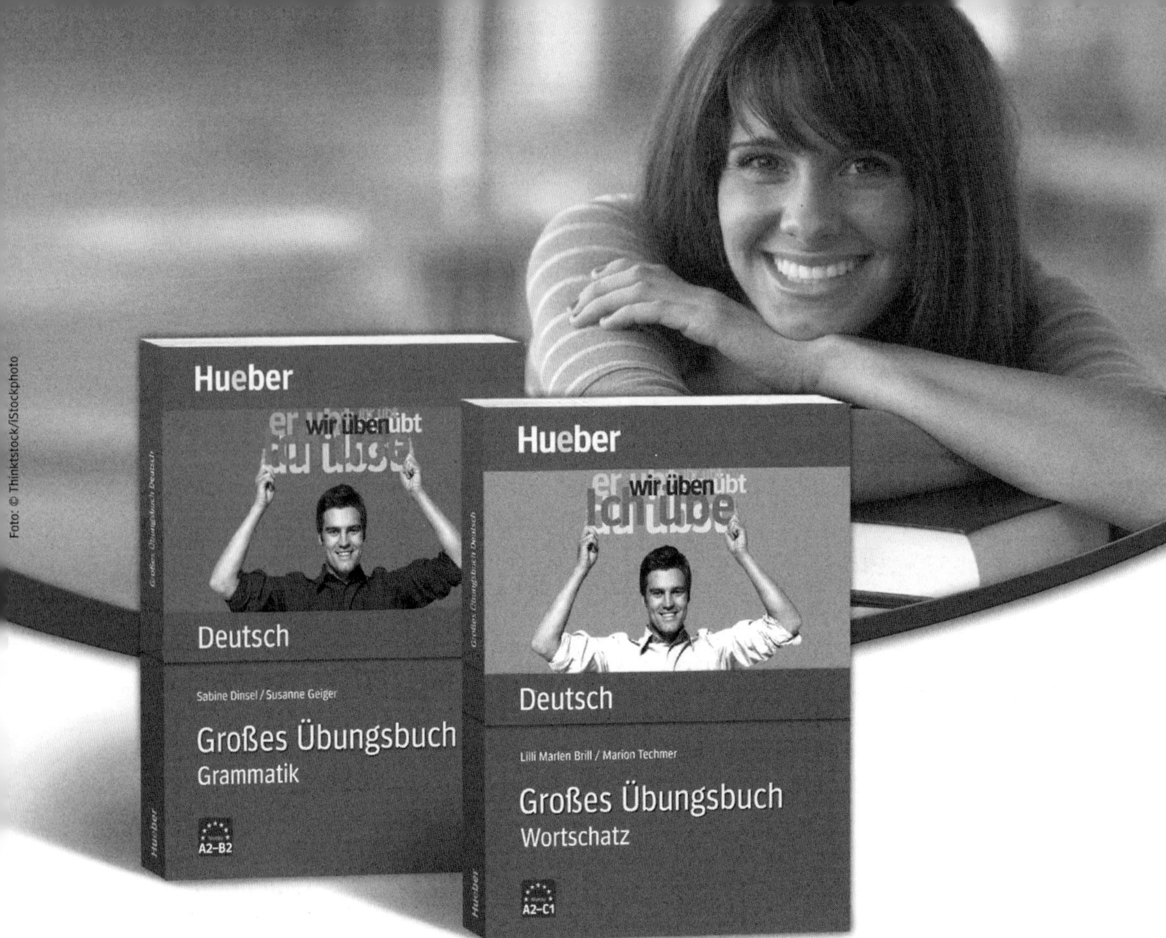

Foto: © Thinkstock/iStockphoto

Übung macht den Meister!

Üben – eine lästige, aber notwendige Pflichtarbeit beim Deutschlernen? Jetzt nicht mehr! Denn mit den *Großen Übungsbüchern Deutsch* wird das Üben von Grammatik und Wortschatz zu einer interessanten Entdeckungsreise mit kompetenten Helfern.

Das *Große Übungsbuch Deutsch – Grammatik* bietet Ihnen rund 500 Übungen mit jeweils 10 bis 20Elementen, die helfen, typische Fehler zu vermeiden, und Ihnen Sicherheit für korrekten Sprachgebrauch in Wort und Schrift geben.

Das *Große Übungsbuch Deutsch – Wortschatz* ermöglicht das Einüben, Wiederholen, Festigen und Erweitern des Wortschatzes bis zur Niveaustufe C1 und verhilft Ihnen somit zu mehr Sicherheit beim Sprechen und Schreiben.

Großes Übungsbuch Deutsch

Grammatik
296 Seiten
ISBN 978-3-19-101721-7

Wortschatz
400 Seiten
ISBN 978-3-19-201721-6

www.hueber.de/deutsch-lernen

Hueber Freude an Sprachen